CHEAP & CHIC

BERLIN

à petits prix

CHRISTOPHE BOURDOISEAU

⋯⋗ L'AUTEUR

Journaliste de formation, Christophe Bourdoiseau travaille depuis 20 ans comme correspondant de presse écrite à Berlin. Parallèlement, il est auteur-compositeur-interprète de chanson française et chante avec son groupe dans toute l'Allemagne. Son premier album (*Tant de saisons perdues*) est consacré à Berlin. Il a édité un troisième album (*La mort du loup*) en 2011, un recueil de 15 grandes poésies françaises mises en musique (en vente chez Dussmann, p. 106). Son site : www.christophebourdoiseau.com

⋯⋗ REMERCIEMENTS

Merci à toute l'équipe de Lonely Planet et particulièrement à Juliette Stephens et à Nicolas Guérin sans qui le guide n'aurait pas été si vivant et si précis. Merci également à Didier Férat qui m'a laissé une grande liberté de choix dans mon travail. Un merci particulier à Pascal Thibaut, ainsi qu'à Blandine Caucat, Katia Hermann, Géraldine Schwarz, Yannick Pasquet, Margaux Richet et Thomas Schnee qui m'ont suggéré d'excellentes idées d'adresses à Berlin dans leurs quartiers respectifs. Enfin, merci à ma compagne, Bettina, qui m'a accompagné avec bonne humeur dans toutes mes escapades berlinoises.

**CHEAP & CHIC
BERLIN À PETITS PRIX**

2e édition
© En Voyage Éditions 2013
12 avenue d'Italie, 75627 Paris Cedex 13

**Dépôt légal
Mai 2013
ISBN 978-2-35219-142-1**

Direction Frédérique Sarfati-Romano
Direction éditoriale Didier Férat
Coordination éditoriale Juliette Stephens et Nicolas Guérin
Prépresse Jean-Noël Doan
Fabrication Céline Prémel-Cabic
Conception graphique et maquette Nelly Riedel
Couverture Stéphane Rébillon

En
Voyage
Éditions

place
des
éditeurs

Cartographie AFDEC (Florence Bonijol, Bertrand de Brun, Martine Marmouget, Catherine Zacharopoulou)

Merci à Marjorie Bensaada et Nicolas Benzoni pour leur travail sur le texte.

Remerciements Plan du métro de Berlin : BVG Berlin S+U-Bahn-Netzplan©2010

Photographies Toutes les photographies : Christophe Bourdoiseau, sauf p. 173 bas, gauche : John Steer

Photographies de couverture
Haut : © Travelstock44 travelstock44/Getty images
Bas : © Buena Vista Images/Getty images
4e de couverture :
Gauche et centre : Christophe Bourdoiseau
Droite, © Henning Hattendorf/Photolibrary

Toutes les photos sont sous le copyright des photographes, sauf indications contraires.

Imprimé chez Loire Offset Titoulet, Saint Étienne

Humeur berlinoise

Berlin est une ville qui se livre. Vous en faites ce que vous voulez. Il n'y a pas d'obstacle, ni physique ni social. Ici, on se sent libre de circuler. Pas de code ! On fait ce qu'on veut ! Vous pouvez vous habiller à votre guise. Les Berlinois ne vous jugeront pas en fonction de votre look. Ici, chacun a "son" look. C'est cela qui donne un tableau si coloré à la ville.

Berlin est aussi une ville à la portée de tous. On peut se cultiver, sortir, s'amuser sans que son porte-monnaie ne rende l'âme. Les lieux les plus trash côtoient les endroits les plus chics, mais une chose les rassemble : ils seront toujours moins chers que dans les autres capitales européennes.

Le pouvoir de séduction est énorme. Mais Berlin ne vient pas à vous sans effort. Il faut aller la chercher ! La ville est grande et il faut beaucoup marcher pour la découvrir. Pensez à prendre de bonnes chaussures et un plan. Cela vous évitera de vous perdre dans de grandes avenues sans fin et quelques ampoules. N'oubliez pas non plus que Berlin ne s'achète pas à crédit : ayez toujours du liquide sur vous, car les cafés et les commerces refusent le plus souvent les cartes de paiement.

Sinon, laissez-vous guider par votre instinct de voyageur. Vous verrez, chaque visiteur rapporte une image différente de cette ville fantastique. Certains sont fascinés par le poids de l'histoire, d'autres par le nombre d'espaces verts. On peut aussi être en admiration devant l'immense réseau de transport en commun, tellement pratique. Pas besoin de voitures à Berlin ! Prenez le métro, le bus et le S-Bahn. Ils circulent la nuit et sont très sûrs. Bon voyage !

LE COMBLE DU CHIC

LE COMBLE DU CHEAP

● Prendre un petit-déjeuner vers 15h dans un café de Prenzlauer Berg (p. 48) avant de faire du shopping dans les boutiques tendance du quartier (p. 60).

● Faire ses courses au rayon épiceries fines du KaDeWe (p. 143) pour pique-niquer sur une barque du Tiergarten (p. 114).

● Faire une tournée des terrasses des hôtels de luxe en taxi pour y trouver le meilleur cocktail de la capitale.

● Boire un verre au bar de l'Arena en regardant le soleil se coucher sur Berlin, puis piquer une tête de nuit dans la piscine du Badeschiff (p. 156).

● Prendre un café à 7 € sur la terrasse de l'hôtel de Rome (p. 104).

● Visiter les bunkers de Berlin en talons aiguilles.

● S'offrir un plateau de fruits de mer avec du champagne à l'étage gastronomie des Galeries Lafayette dans Friedrichstrasse (p. 102).

● Faire ses courses au marché de Kollowitzplatz (p. 47) en côtoyant les stars médiatiques et boire un chocolat au café Sowohl als auch (p. 56) pour en discuter après.

● Dévaliser les boutiques de mode de Mulackstrasse (p. 88) et s'offrir une toile dans la rue des galeristes (Auguststrasse, p. 79).

● Boire un Martini au Newton Bar (p. 105) en regardant, par la grande baie vitrée, les passants courir sous la pluie.

● Acheter du Chanel à 50% chez Secondo (p. 139) et se payer dans la foulée un *Currywurst* chez Konnopke (p. 51) à Prenzlauer Berg.

● Se lever tôt pour aller écouter le concert classique gratuit d'une demi-heure le mardi à la Philharmonie (p. 192).

● Faire la dernière station de métro à pied pour ne payer que le billet "section courte" (trois stations).

● Prendre un café à 1,70 € et rester des heures à lire la presse mise à disposition.

● Venir à Berlin avec une valise vide pour la remplir de fripes achetées au kilo au Garage Kleidermarkt (p. 150).

● Déjeuner à la cantine du parlement de Berlin (p. 102) à côté du maire de la capitale.

● Réserver des places d'opéra à moins de 15 € et repérer dans le magazine de la ville *Zitty* les boîtes de nuit gratuites.

● Se payer une bicyclette sans frein pour 15 € aux puces du Mauerpark (p. 61).

● Acheter quelques bières au super-marché et les consommer dans les chaises longues du café-plage Capital Beach (p. 120), ni vu ni connu.

● Déjeuner au très chic Duke pour 15 € à midi (p. 147).

10 ASTUCES DE BASE
POUR VOYAGER MOINS CHER À BERLIN

POUR SE RÉGALER AUX MEILLEURES TABLES. À midi, même les très bons restaurants proposent des formules aux alentours de 10 €. Pensez aussi aux cantines des administrations, ouvertes au public. Le soir, privilégiez les cafés qui proposent des plats à moins de 10 €.

POUR SE DÉPLACER MOINS CHER. La WelcomeCard (5 jours, 30,90 €) permet de circuler en transports en commun et offre de nombreuses réductions. Autrement, vous pouvez prendre des tickets à la journée (Tageskarte, 6,50 €) ou le forfait 7 jours (7-Tage-Karte, 28 €) valable pour un 2e adulte les samedi, dimanche et jours fériés et à partir de 20h en semaine.

POUR ALLER AUX SPECTACLES. Avant d'acheter une place d'opéra, vérifiez sur le site www.hekticket.de les offres "Last Minute" (le site est aussi en anglais). Sinon, vous pouvez vous rendre au guichet de l'agence Hekticket : Hardenberger Strasse 29d, à Charlottenburg, ou Karl-Liebknecht-Strasse 13, près d'Alexander Platz.

POUR SE LOGER SANS SE RUINER. À Berlin, les offres d'appartements et de chambres d'hôtes sont nombreuses. Mais vérifiez leur emplacement. Berlin est très grand et vous risquez d'être excentré et de devoir prendre un taxi.

POUR VISITER LA VILLE GRATUITEMENT... OU PRESQUE. Avec votre ticket de métro, circulez en S-Bahn sur le viaduc ferroviaire entre Zoologischer Garten et Alexander Platz. Vous pouvez aussi emprunter le "Ring" qui circule autour du centre. On se fait ainsi une bonne idée de la taille et de la physionomie de la ville. Mais le voyage dure plus d'une heure. Sinon, prenez la ligne de bus n°100 ou 200 de bout en bout.

POUR FAIRE DU SHOPPING SANS CULPABILISER. Partez en période de soldes ! En hiver, elles commencent le dernier lundi de janvier. En été, le dernier lundi de juillet. Elles durent deux semaines.

POUR COMMENCER LA SOIRÉE SANS SE RUINER. Incrustez-vous au hasard dans un vernissage dans la rue des galeristes (Auguststrasse) à Mitte. Vous serez toujours les bienvenus. Vous découvrirez des œuvres et les boissons ne coûtent que 1 ou 2 €.

POUR PAYER MOINS CHER LE TAXI. Profitez du forfait de 4 € pour 2 km. Le taxi ne doit pas être à l'arrêt et il faut annoncer au chauffeur "Kurzstrecke" avant qu'il n'enclenche le compteur. Si vous dépassez les 2 km, le compteur revient au prix que vous auriez dû payer normalement, sans le forfait.

POUR SE BAIGNER GRATUITEMENT. Avec votre ticket de métro, vous pouvez rejoindre de nombreuses plages comme celle de Wannsee. Avec le même billet, vous pouvez même prendre le ferry. À Wannsee, prenez le F10 qui mène à Kladow (une heure aller-retour).

POUR VOIR BERLIN DE HAUT. Les hôtels ont souvent des terrasses ouvertes au public, avec un accès parfois gratuit. Le meilleur plan : l'hôtel Park Inn (entrée 3 €), à Alexander Platz.

3 jours Cheap&Chic

à BERLIN

JOURNÉE 1

DÉPART EN DOUCEUR

Commencez par un petit-déjeuner à **Hackescher Markt** (p. 80), dans le cœur historique. Flânez un peu dans les **Hackesche Höfe** (p. 78), puis montez à pied vers **Prenzlauer Berg** (p. 40) par Rosenthaler Platz et le Weinbergsweg.

MATINÉE SHOPPING

Baladez-vous le long de la **Kastanien Allee** (p. 46) et n'hésitez pas à vous perdre dans les rues adjacentes pour dénicher des boutiques de jeunes créateurs. Ne manquez pas la **Zionskirchplatz** (p. 47). Faites une longue pause au **café Schwarzsauer** (p. 54), avant d'aller déjeuner au **café EntwerderOder** (p. 48).

APRÈS-MIDI HISTORIQUE

Rendez-vous au **"parc du Mur"** (Mauer Park, p. 47), puis descendez Bernauer Strasse jusqu'au **mémorial du Mur** (p. 45). C'est le seul endroit dans la ville où la coupure est encore visible. Prenez le tram M10 (direction Nordbahnhof), qui circule le long de l'ancien Mur.

FIN DE JOURNÉE TENDANCE

Reprenez le tram M10 dans l'autre sens jusqu'à **Eberswalder Strasse**. Faites un arrêt gourmand pour goûter l'un des célèbres *Currywurst* de **Konnopke** (p. 51). Baladez-vous ensuite au nord, dans le quartier tendance de **Helmholtzplatz** (p. 60) pour y faire quelques emplettes.

SOIRÉE "PRENZLAUER BERG"

Faites un tour à la **Kollwitzplatz** (p. 47), puis à la **Kulturbrauerei** (p. 45), où des concerts et des spectacles sont organisés vers 20h. Tout autour, vous trouverez de bons restaurants comme le **Gugelhof** (p. 48). Vous pouvez retourner ensuite à la **Kulturbrauerei** (p. 184) pour danser sur de vieux tubes ou de la salsa.

JOURNÉE 2

MATINÉE HISTORIQUE

Démarrez par un café en haut de la **tour de télévision** (p. 68). Poursuivez votre route vers l'ouest, jusqu'à la **cathédrale** (p. 101). Avant de prendre l'avenue **Unter den Linden**, visitez l'**île aux Musées** (p. 100).

FLÂNERIE SUR LE BOULEVARD

Descendez le boulevard Unter den Linden et faites un tour au **musée de l'Histoire allemande** (p. 101) ou au **musée Guggenheim** (p. 99). Déjeunez chez **Chipps** (p. 103), aux **Galeries Lafayette** (p. 102) ou dans un restaurant de **Gendarmenmarkt** (p. 102).

DANS LES ALLÉES DU POUVOIR

Après être passé sous la **porte de Brandebourg** (p. 96), vous êtes face à l'**avenue du 17 juin** (p. 113) ; tournez à droite pour rejoindre le **Reichstag** (p. 112). Passez devant la **chancellerie** (p. 112) et poursuivez votre route vers le sud pour rejoindre l'avenue du 17-Juin, sans manquer le **mémorial soviétique** (p. 114) sur votre gauche.

PROMENADE RAFRAÎCHISSANTE

Traversez le **parc du Tiergarten** ; arrêtez-vous au **Café am Neuen See** pour un chocolat au bord de l'eau (p. 117). Revenez en longeant le parc par le sud (quartier des ambassades). Vous déboucherez sur le **Kulturforum** avec la célèbre **Philharmonie** (p. 115) et le nouveau quartier d'affaires de **Potsdamer Platz** (p. 114).

SOIRÉE À SCHÖNEBERG

Prenez le métro **U2** jusqu'à **Nollendorfplatz**. Dans le quartier tendance de **Schöneberg**, vous trouverez une multitude de restaurants et de cafés près de la **place Winterfeldtplatz** et le long de **Golzstrasse**. Terminez la soirée au bar à cocktails **Green Door** (p. 148) ou au **café M** (p. 149).

JOURNÉE 3

MATINÉE FARNIENTE

Démarrez la journée à **Kreuzberg** avec un petit-déjeuner chez **Milagro** (p. 160). Faites un tour au **marché** (p. 158) et quelques achats dans les boutiques de ce quartier très "village". Remontez à pied vers le nord pour une visite du **Musée juif** (1,5 km ; p. 158).

VOYAGE DANS LE PETIT ISTANBUL

Prenez la ligne **U**1 à la station Hallesches Tor et descendez à **Kottbusser Tor** : vous êtes au cœur du quartier turc. Dans **Oranienstrasse**, vous trouverez une multitude de restaurants et de snacks orientaux. Ne manquez pas le kebab de chez **Hasir** (p. 160) et le **Morena Bar** (p. 164) pour un café en fin de promenade.

AU FIL DE L'EAU

Poursuivez sur la ligne **U**1 jusqu'à **Schlesisches Tor**. Prenez **Schlesische Strasse** et trouvez des accès aux bords de la rivière (pas toujours évident). Visitez le **centre culturel de l'Arena** (p. 156), avec sa piscine sur la Spree. Les plus téméraires feront un saut vers l'est pour voir le **mémorial soviétique** (p. 173) de Treptower Park.

CAFÉ ET GÂTEAUX

Revenez vers la ligne **U**1 par le **Görlitzer Park**, une ancienne gare transformée en parc. Tout autour, vous trouverez des cafés tranquilles pour boire un café et déguster une part de tarte avec chantilly en fin d'après-midi. C'est l'endroit idéal pour reprendre des forces avant de se rendre dans le quartier agité de **Friedrichshain**.

SOIRÉE À FRIEDRICHSHAIN

Reprenez la ligne **U**1 à **Görlitzer Bahnhof** direction **Warschauer Strasse**. Le métro traverse la rivière par le **pont de l'Oberbaumbrücke** (p. 172). Au terminus, de l'autre côté du pont, vous trouverez des restaurants, des cafés (p. 174) et des clubs ouverts toute la nuit (p. 188).

JOURNÉE

BONUS

DÉPART MÉDITATIF

Commencez la journée par une balade au **cimetière des invalides** (p. 172) qui fut divisé par l'ancienne frontière du Mur. Longez ensuite le canal pour arriver au musée d'art moderne **Hamburger Bahnhof** (p. 113). Déjeunez au restaurant du musée, le **Sarah Wiener** (p. 117).

EN ROUTE POUR
LES "CHAMPS" DE BERLIN

Rendez-vous ensuite dans la grande gare centrale en face et prenez, pour la vue, le **S**-Bahn aérien jusqu'à **Zoologischer Garten** (p. 129). Après une visite de la fondation **Helmut Newton** (p. 130), descendez vers le **Ku'Damm** (p. 129), surnommé les "Champs-Élysées de Berlin", en faisant un petit détour par l'**église du Souvenir** (Gedächtniskirche ; p. 128).

RESPIRATION

Pour une pause chocolat et part de tarte, faites un arrêt au café littéraire **Wintergarten** (p. 137), dans la Literaturhaus. Juste à côté se trouvent le **musée Käthe-Kollwitz** et la **Villa Grisebach**.

ESCAPADE AU CHÂTEAU

Prenez le métro **U**2 de Zoologischer Garten jusqu'à **Sophie-Charlotte-Platz**. Remontez vers le nord à pied jusqu'au **château de Charlottenburg** (p. 131). Avant de visiter l'édifice et son jardin, vous pouvez vous rendre au **musée Berggruen** (p. 131). Complétez la visite par une pause café dans l'**Orangerie du château** (p. 134).

SOIRÉE À SAVIGNY PLATZ

Reprenez le métro **U**2 dans l'autre sens jusqu'à **Ernst Reuter Platz** et rejoignez **Savigny Platz** (p. 131). Dînez au **Florian** (p. 133) avant de finir la soirée en musique dans un club de jazz, comme le **Quasimodo** (p. 134) ou **A-Trane** (p. 135).

et pour plus de ...

"Culture"

MÄRKISCHES MUSEUM (p. 69). Pour découvrir toute l'histoire de la capitale. • MUSÉE DE LA RDA (p. 69). Pour se faire une idée du quotidien des Allemands de l'Est. • EAST SIDE GALLERY (p. 172). Le dernier morceau du Mur repeint par des artistes du monde entier. • NEUE NATIONAL GALERIE (p. 115). Un chef-d'œuvre architectural qui accueille des expositions temporaires d'envergure internationale. • PINACOTHÈQUE (p. 115). Un incontournable pour les amateurs de peintures européennes du XIIIᵉ au XVIIIᵉ siècle. • SIÈGE DE LA STASI (p. 173). Pour une visite au cœur de la répression politique est-allemande. • CIMETIÈRE JUIF (p. 44). Une balade méditative entre les 22 000 pierres tombales du cimetière profané par les nazis. • MUSÉE D'HISTOIRE ALLEMANDE (p. 101). Le bâtiment transformé par l'architecte Pei propose des expositions passionnantes.

· ·

•SHOPPING•

FRIEDRICHSTRASSE (p. 107). La grande rue commerçante du centre de la ville est l'endroit idéal pour faire du lèche-vitrine. • MAUERPARK (p. 61). Un vrai marché aux puces avec des objets en pagaille et à tous les prix. • KADEWE (p. 143). Le plus grand magasin d'Europe, ouvert en 1907, dispose d'un incroyable assortiment sur sept étages. • GARAGE KLEIDERMARKT (p. 150). Une friperie où l'on achète au kilo. • FASANENSTRASSE (p. 139). Cette belle rue adjacente du Ku'damm abrite les boutiques de luxe de la capitale. • STILWERK (p. 138). Un grand magasin consacré exclusivement à la décoration et au mobilier d'intérieur. • WÜHLISCHSTRASSE (p. 178) ou MULACKSTRASSE (p. 74). Les deux rues tendance des boutiques de mode de jeunes créateurs. • BONNIE UND KLEID (p. 167). Le plus fou des magasins de mode rétro. • KPM (p. 122). La grande salle de ventes de l'ancienne usine de la manufacture royale de porcelaine mérite une visite.

· ·

—FÊTE—

GAINSBOURG BAR (p. 135). Pour finir la nuit dans une ambiance Gainsbarre. • CASSIOPEIA (p. 177). L'ancienne gare à l'abandon est une fête permanente dans un joli désordre. • YAAM (p. 177). Ce bar de plage est l'un des endroits les plus typiques de Berlin, avec ses concerts et ses terrains de basket. • MARIETTA (p. 55). Un petit bar très tendance pour les bobos de la capitale. • MAUERSEGLER (p. 58). Pour aller boire un verre et danser sans se prendre la tête. • BERGHAIN (p. 188). L'un des plus prestigieux clubs techno du monde. • GOLGATHA (p. 162). Un mélange de café et de club typiquement berlinois. • JUNCTION BAR (p. 162). Ce café-concert est l'un des rendez-vous les plus connus de la vie nocturne de Kreuzberg. • CLUB DER VISIONÄRE (p. 165). Pour déguster une bière au bord de l'eau, au son de la musique électro.

La Ville

A de Z

Aéroports

Sur les trois aéroports qui existaient dans les années 1990, il n'en restera plus aucun en 2013. L'ouverture de l'aéroport de Berlin-Brandenburg (code BER), au sud de la capitale, prévue pour 2012, a été repoussée à fin 2013 en raison d'erreurs de construction. Elle coïncidera avec la fermeture de Schönefeld, l'ancien aéroport est-allemand à côté duquel Berlin-Brandenburg est construit, et de Tegel, édifié par les Français au nord de la ville. Quant à Tempelhof, le plus ancien des aéroports berlinois, il a fermé en 2008 et ses pistes d'atterissage ont été converties en parc de loisirs provisoire (voir p. 156).

Vers Schönefeld. S'il est encore ouvert à la lecture de ce guide, le plus pratique pour rallier Schönefeld est d'utiliser les trains régionaux Airport-Express RE7 ou RB14, qui circulent toutes les demi-heures de 4h30 à 23h, et s'arrêtent aux principales gares berlinoises du S-Bahn (Alexander Platz, Friedrichstrasse, Hauptbahnhof, Zoologischer Garten). Temps de trajet : 30 minutes depuis Hauptbahnhof (3,10 €, zone ABC). Le S-Bahn (RER berlinois) relie également l'aéroport de Schönefeld, mais il est très long ! À éviter, pour ne pas rater son avion.

Vers Berlin-Brandenburg (Willy-Brandt). Quand il ouvrira, le nouvel aéroport sera desservi tous les quarts d'heure à Hauptbahnhof par trois trains Airport-Express (RE7, RE9, RB14), entre 3h30 et 23h30. On prendra le RE7 (toutes les heures) à Zoologischer Garten, Hauptbahnhof, Friedrichstrasse, Alexanderplatz ou Ostbahnhof ; le RE9 (toutes les 30 minutes) à Hauptbahnhof, Potsdamer Platz et Südkreuz ; le RB14 (toutes les heures) à Charlottenburg, Zoologischer Garten, Hauptbahnhof, Friedrichstrasse, Alexanderplatz et Ostbahnhof. Temps de trajet : 30 minutes depuis Hauptbahnhof (3,10 €, zone ABC). Le S-Bahn est beaucoup plus long ! En taxi, compter environ 40 €.

Vers Tegel S'il est toujours en service quand vous lirez ces lignes, l'aéroport de Tegel sera encore desservi par le bus TXL (pour le prix d'un ticket normal, soit 2,40 €, zone AB). On peut aussi prendre le 109, le 128 ou le X9 car le TXL, qui se veut un "bus express", s'arrête à toutes les stations. Le taxi pour Tegel coûte environ 25 € depuis le centre.

"Berlin est pauvre mais sexy !"

Art contemporain

La célèbre citation du maire de Berlin, Klaus Wowereit, prend toute sa signification concernant l'art contemporain. Les artistes du monde viennent chercher ici l'inspiration. Beaucoup moins chère que Tokyo, Londres ou Paris, elle leur offre un espace de liberté unique en Europe. Les ateliers sont gigantesques et souvent subventionnés. Selon la mairie, plus de 5 000 artistes professionnels travaillent à Berlin.

Berlin dénombre pas moins de 400 galeries, dont la **Galerie KW** (p. 79), et plusieurs musées de grande qualité comme la **Hamburger Bahnhof** (p. 113 ; photo ci-dessous), le **Georg Kolbe Museum** (www.georg-kolbe-museum.de) et le **Brücke Musuem** (www.bruecke-museum.de). La **Berlinische Galerie** (Alte Jakobstrasse 124 ; 030 78902-600 ; www.berlinischegalerie.de), à Kreuzberg, est dédiée à l'art moderne et contemporain, à la photographie et à l'architecture. La collection permanente permet de faire un tour d'horizon de la création à Berlin depuis la fin du XIXe siècle (Berliner Secession, Fluxus, l'art sous le nazisme, etc.). Certaines collections sont également remarquables comme celle de **Flick** (dans la Hamburger Bahnhof), ou **Boros**, dans l'ancien bunker de Reinhardt Strasse (sur réservation uniquement ; www.sammlung-boros.de) ou encore **Me Colectors Room** (www.me-berlin.com). Le salon d'art contemporain **Art Forum** (www.art-forum-berlin.de) a aussi lieu chaque année en septembre. Rassemblant plus de 120 galeries du monde entier, il donne le ton dans l'Europe entière. Parallèlement est organisée une grande exposition réunissant les galeristes de Berlin (www.artberlincontemporary.com). Enfin, Berlin a le projet de créer un musée d'art contemporain du XXIe siècle aux alentours de la nouvelle gare centrale Hauptbahnhof.

Berlin-plage

Des plages à Berlin ? Il y en a partout ! Près des lacs bien sûr, mais aussi sur les bords de la Spree. Les habitants ont à leur disposition plus d'une douzaine de *Strände*, avec du sable authentique apporté de la mer du Nord et de la mer Baltique. On bronze sur les bords de la Spree, on se baigne, on joue au beach-volley, on écoute des concerts ou on se détend en buvant un verre et en regardant passer les bateaux... Des cours de danse et de gymn sont proposés. Il règne une ambiance de fête permanente avec des groupes de musique brésilienne et d'autres rythmes exotiques qui résonnent jusqu'au bout de la nuit. Lors des grands rendez-vous du football (Euro et Mondial), les plages sont équipées de téléviseurs.

Le plus ancien bar de plage est le Bar de la plage (p. 86), dans le quartier de Mitte, en face de l'île aux Musées. Dans cet endroit tranquille, de vrais palmiers ont été plantés. Un autre se trouve derrière l'East Side Gallery (p. 172), où l'on peut prendre un bain de soleil et apprécier des concerts après 22h, sur fond de coucher du soleil. Il y en a pour tous les goûts. En face de l'East Side Gallery, le Yaam (p. 177) est un paradis du reggae, avec un terrain de basket et des buvettes.

"Berlin, c'est comme à Copacabana." C'est le nouveau slogan des journaux locaux. Sur la célèbre plage du Brésil, l'ambiance est un peu plus latine, certes. Mais il est vrai que les Berlinois qui ne partent

pas en vacances l'été jouissent d'une ambiance très exotique avec tous ces bancs de sable estivaux. Tous les habitants vous le diront : s'il existe un endroit sur terre qu'il ne faut pas quitter l'été, c'est Berlin.

"Le Currywurst doit faire face à la concurrence du döner kebab."

Currywurst vs. döner kebab

Berlin, ville gastronomique ? Pas vraiment. Ici, les deux plats traditionnels sont le *Currywurst* et le *döner kebab*.

La première spécialité de la capitale, le *Currywurst*, a été créé par une Berlinoise en 1949, à qui l'on a dédié une plaque commémorative à Charlottenburg. Herta Heuwer est la mère du *Currywurst*, cette saucisse coupée en morceaux saupoudrée de poudre de curry et servie avec du ketchup dans une petite barquette en carton. Elle s'accompagne d'un petit pain (*Brötschen*) ou de frites ("pommes", prononcez avec le "s") et se mange debout dans un *Imbiss* (snacks, présents à tous les endroits où il y a du passage).

Le succès de ce plat national fut tel que le snack de Herta Heuwer comptait 19 vendeuses à ses heures de gloire ! En 2009, un musée du *Currywurst* allemand (Schützenstrasse 70, 10117, 7-11 €, tlj 10h-22h) a ouvert ses portes au centre de Berlin pour raconter l'histoire de ce petit bout de saucisse dont raffolent tant les Allemands. Le *Currywurst* le plus connu de Berlin se trouve à Prenzlauer Berg sous la station de métro Eberswalder Strasse. Konnopke (p. 51), qui avait ouvert l'une des rares boutiques privées à Berlin-Est dans les années 1960, est connu au-delà des frontières de la capitale. Le chancelier Schröder est venu lui-même déguster une saucisse ici en 2001. Aujourd'hui, Konnopke est sur le circuit des visites guidées de Prenzlauer Berg.

Dans les années 1980, le *Currywurst* a dû faire face à la concurrence grandissante du sandwich turc, le *döner kebab*. Plus vendu aujourd'hui que les hamburgers de McDonald's, le kebab aurait vu le jour à Kreuzberg à la fin des années 1970. Certains prétendent même qu'il a été inventé à Berlin dans sa forme actuelle : un pain turc (*pide*) avec de la viande grillée à la broche, servie avec des crudités et une sauce épicée ou à l'ail. Aujourd'hui, 15 000 snacks en Allemagne vendent des kebabs. Chaque jour, jusqu'à 300 tonnes de viande sont préparées et le chiffre d'affaires atteint plus de 1,5 milliard d'euros par an. Un vrai succès commercial.

"Les Allemands ne rigolent pas avec le tri."

Déchets bio

Nulle part ailleurs on ne trie autant ses déchets ménagers. Les Allemands ne rigolent pas avec ça. Selon les sondages, ils considèrent que le tri des déchets est la première contribution en faveur de la protection de l'environnement après les économies d'énergie. Plus de 96% des Allemands trient le papier, 90% le verre, 85% les emballages et ils sont même 66% à jeter les déchets organiques dans la poubelle bio (*Biomüll Tonne*). En Allemagne, les cours d'immeuble sont déjà équipées de poubelles à compost réservées aux épluchures et aux bouquets de fleurs fanées.

À Berlin, il y a une poubelle pour chaque déchet. Heureusement que les appartements sont grands ! Dans leur cuisine, les Berlinois possèdent parfois jusqu'à six réceptacles : déchets ménagers, papier, verre, emballages, déchets organiques et petite boîte pour les piles qu'on jette dans un carton approprié au supermarché. Plus récemment, ils ont ajouté une nouvelle poubelle dans les cours, orange cette fois, à destination des appareils électroménagers, du bois et des vieux vêtements. Le reste doit être transporté à la déchetterie. Même bien caché dans du carton, un vieux fauteuil retrouvé dans une benne à ordures peut déclencher une enquête !

Pourtant, l'efficacité de ce système est remise en question par les

experts du recyclage qui préconisent la fin des tris à la source. Selon plusieurs études, près de la moitié des ordures atterriraient dans la mauvaise poubelle, notamment dans les villes. Certains experts estiment qu'on pourrait donc faire marche arrière avec une seule poubelle pour les ordures ménagères et les emballages dans les cours d'immeuble.

"Les DJ les plus répu[t]
la planète sont pa[r]es
par Berlin."

Électro

La fermeture du Trésor en 2005 a été un événement à Berlin. Après 14 ans d'existence, ce club légendaire a dû repartir à la conquête d'un espace libre dans la capitale. Il s'est aujourd'hui installé à Kreuzberg (voir p. 187).

Délogé de son antre historique par les promoteurs immobiliers, le Tresor est l'un des clubs les plus connus dans le monde. L'Allemand Paul van Dyk, l'un des DJ les plus réputés de la planète, y a commencé sa carrière, de même que la célèbre DJ allemande Ellen Allien.

Le Tresor, le Bunker et le E-Werk – ces deux derniers ont fermé – ont marqué toute une époque musicale, celle du Berlin-Est techno d'après la chute du Mur. C'était l'époque où la place ne manquait pas au centre de la capitale. Les loyers étaient dérisoires et les propriétaires des immeubles désaffectés inconnus. Comme le Tresor, installé dans la chambre forte du Wertheim, l'un des plus grands magasins d'Europe d'avant guerre, les boîtes de nuit fleurissaient dans toutes sortes de ruines, de bunkers et de lieux abandonnés.

Les DJ techno de Détroit, pionniers du mouvement musical techno, ont été accueillis dans tous ces clubs de Berlin gravitant autour de Potsdamer Platz. Les bus de nuit étaient bondés jusqu'à l'aube. Au milieu des échafaudages et des rues éventrées par les bulldozers, la jeunesse grouillait dans le quartier de Mitte, aujourd'hui reconquis par les institutions politiques et les centres commerciaux.

En chassant les clubs du centre, Berlin avait sous-estimé l'importance de la vie nocturne berlinoise comme facteur commercial. La techno reste néanmoins toujours une spécificité de la ville, même si elle a perdu sa dynamique depuis la disparition de la Love Parade après le drame de l'édition de Duisbourg en 2010 (21 personnes tuées dans une bousculade meurtrière). La Love Parade était un événement très important, qui avait donné un nouveau souffle à Berlin. En 1999, ce grand défilé avait attiré 1,5 million de personnes dans la capitale allemande.

Films

À la mi-février, Berlin se transforme en capitale du cinéma. Le Festival international du film de Berlin (Berlinale), qui décerne chaque année l'Ours d'or, attire alors 150 000 visiteurs de plus de 120 pays, dont 4 000 journalistes. Pendant 10 jours, la ville est en ébullition. Tandis que les professionnels se donnent rendez-vous au Gropius-Bau pour acheter et vendre leurs productions, Berlin se transforme en gigantesque cinémathèque. Car, contrairement à d'autres festivals, la Berlinale est un événement auquel participent les habitants. Pendant le festival, plus de 180 000 tickets sont vendus pour les films projetés dans le cadre de la Berlinale.

Pour les professionnels du cinéma, Berlin est devenu très tendance. Pour présenter leur film sur le marché européen, les stars américaines ne vont plus à Paris ou à Londres : elles préfèrent Berlin ! Les Américains ont d'ailleurs découvert le fabuleux potentiel de tournage de la capitale. La ville se prête en effet parfaitement au cinéma avec ses grands espaces et ses studios. Les réalisateurs du monde entier débarquent à Berlin. La mairie a décidé de faciliter leur travail en délivrant facilement des autorisations. Environ 300 films sont réalisés chaque année dans la capitale. Les Berlinois sont souvent exaspérés par les équipes de tournage qui bloquent la circulation et parfois même l'accès à leur propre maison !

Berlin a ainsi renoué avec son passé de capitale du film, grâce notamment à la résurrection des studios de Babelsberg, créés en 1912. C'est à Babelsberg qu'ont été produits des films mondialement connus comme *Metropolis* de Fritz Lang (1927) ou *L'Ange bleu* de Josef von Sternberg avec Marlene Dietrich (1930). Une grande partie des productions cinématographiques allemandes passe par Babelsberg. Et elle se porte bien ! Le cinéma allemand vit actuellement une véritable renaissance à Berlin depuis les succès de *Cours, Lola, cours*, *Good Bye Lenin !* ou encore *La Vie des autres*, tous trois tournés à Berlin.

Grands rendez-vous

L'agenda berlinois commence à la mi-janvier avec le grand salon international de l'agriculture. Le prix des hôtels grimpe alors de 20%. La **"Grüne Woche"** est le plus important rendez-vous de l'année dans la capitale avec 400 000 visiteurs.

Le dernier samedi de janvier, Berlin vit sa **"longue nuit des musées"** (Lange nacht der Museen) qui permet de visiter tous les musées de 18h à 2h du matin pour 12 à 18 € (une opération renouvelée en août).

Mi-février, la ville se transforme en capitale du cinéma avec le **Festival international du film de Berlin** (Berlinale ; voir ci-contre).

Le **Carnaval des cultures** (Karneval der Kulturen der Welt) a lieu en mai, le week-end de la Pentecôte. Ce défilé de chars décorés aux couleurs des cultures du monde a pris beaucoup d'importance. Il séduit plus d'un million de spectateurs, presque autant que la défunte Love Parade. Et il est gratuit.

Tous les deux ans, Berlin accueille en juin le **salon de l'aéronautique ILA**. À la fin du mois, le défilé **Christopher Street Day** n'attire pas que les gays. Enfin, Berlin est le théâtre d'une **fête de la musique** le 21 juin.

En juillet et en août, place au classique ! Le **Classic Open Air** (www.classicopenair.de) se déroule pendant près d'une semaine au milieu du mois de juillet sur la place Gendarmenmarkt. En août, l'**Open Air Klassik** propose une série de concerts à la Kulturbrauerei (p. 45) de Prenzlauer Berg.

Septembre est consacré à l'art avec l'**Art Forum** (www.art-forum-berlin.de), un salon qui accueille plus de 100 galeries de 18 pays et présente le travail de 2 000 artistes, et le **Popkomm**, le salon international de l'industrie de la musique. Le **marathon de Berlin** a lieu le dernier week-end de septembre.

Le 3 octobre est férié en Allemagne. C'est le jour de la **fête nationale** en souvenir de la réunification du pays en 1990.

L'un des rendez-vous les plus anciens et les plus significatifs du jazz en Europe a lieu en novembre. Il s'agit du **JazzFest Berlin** qui existe depuis 1964. En décembre, Berlin est rempli de **marchés de Noël** où l'on peut boire du vin chaud, écouter de la musique et manger des saucisses.

Histoire

Berlin est l'une des villes les plus jeunes d'Europe. La date officielle de sa naissance est 1237. Deux villes, Berlin et Cölln (aujourd'hui Mitte), décident alors de fusionner. À l'époque, les deux quartiers se dotent d'un mur d'enceinte pour se protéger. Construite en 1250 (les restes sont encore visibles au métro U2 Kloster Strasse), la muraille (*Stadtmauer*) est renforcée jusqu'à la fin du XVIIe siècle. Berlin finira par la transformer en forteresse avec 13 bastions. Les derniers vestiges du Berlin médiéval sont détruits par les bombardements de la Seconde Guerre mondiale (tous les bâtiments médiévaux visibles actuellement sont des reconstructions). Au XIIIe siècle, les deux premières églises en brique rouge voient le jour : l'église Saint-Nicolas (Nikolaikirche) en 1230 et l'église Sainte-Marie (Marienkirche) en 1292, au style gothique et austère, qu'on retrouve toutes deux dans le quartier touristique de Nikolaiviertel.

Avec le règne des Hohenzollern, qui commence au XVe siècle et durera un demi-siècle, débute la construction de grands édifices comme le château de Berlin. La première pierre est posée en 1443 sur l'île de la Spree. Il faudra attendre 1716 pour que l'édifice trouve sa forme définitive. Démoli pour des raisons politiques par le régime communiste en 1950, il fut remplacé en 1976 par le palais de la République, siège du Parlement est-allemand. Les autorités ont toujours l'intention de reconstruire les façades de ce château, mais ce projet controversé a été suspendu faute de moyens.

Au cours du XVIIe siècle, une forte migration de juifs et de réfugiés huguenots (persécutés en France) procure à Berlin un formidable essor économique. La population monte à 20 000 habitants. Frédéric III fait alors édifier un château pour son épouse Sophie Charlotte : le château de Charlottenburg.

En 1734, on détruit les murs d'enceinte et on les remplace par des murs de douane. Sous le règne de Frédéric le Grand, la ville connaît une période architecturale très intense dont les principaux bâtiments sont encore visibles le long d'Unter den Linden : l'Arsenal (Zeughaus), l'Opéra (Staatsoper), l'université Humboldt (Prinz-Heinrich-Palais), la cathédrale Sainte-Edwige (Sankt Hedwigskathedrale) et l'ancienne Bibliothèque (Alte Bibliothek).

Berlin continue de s'agrandir et incorpore plusieurs banlieues (Wedding, Gesundbrunnen, Moabit). Vers 1860, la superficie de la ville passe de 35 à 59 km² et la population au-dessus des 550 000 habitants.

Lorsque Berlin devient la capitale de l'Empire allemand en 1871, la révolution industrielle redouble d'intensité. Le million d'habitants est atteint en 1877, puis deux millions au tournant du siècle. Le début du projet "Grand Berlin" est lancé en 1912 avec l'arrivé de nouvelles communes administrées par la capitale : Charlottenburg, Schöneberg, Wilmersdorf, Lichtenberg et Spandau. Cette forme de croissance urbaine "par acquisition" nous livre une explication sur l'absence de centre à Berlin. La ville a grandi en absorbant les villages alentour.

En 1920, Berlin rattache 7 villes, 59 communes rurales et 27 districts ruraux et divise le territoire communal en 20 arrondissements et le nombre des habitants s'élève à 3,8 millions. La population est alors plus nombreuse qu'aujourd'hui (3,4 millions) !

Les années 1920 constituent l'âge d'or de la capitale. À cette époque, Berlin devient la plus grande ville industrielle du continent. Berlin construit alors ses fameuses "casernes" (*Mietskaserne*) où s'entassent des dizaines de milliers d'ouvriers dans la misère. On retrouve aujourd'hui ces immeubles dans le quartier de Prenzlauer Berg… rénovés en lofts de luxe !

Avec l'arrivée au pouvoir des nazis en 1933, Berlin est livrée aux folies de l'architecte de Hitler. Albert Speer est chargé de mettre en œuvre un projet pharaonique : Germania. Mais le Generalbauinspektor (premier architecte du IIIe Reich) n'a pas le temps de réaliser ses plans. Il construit seulement quelques bâtiments dont certains résisteront aux bombardements comme le ministère des Finances de Wilhelmstrasse (p. 98). La folie des nazis et la guerre transforment Berlin en champ de ruines. Près de 50% des habitations sont détruites à la fin de la guerre. Le 8 mai 1945, la ville tombe aux mains des Alliés qui la découpent en quatre secteurs. C'est une période de grande misère pour la population qui meurt de faim et de froid dans des logements délabrés.

La double administration de la ville démarre dès 1949 (date de la création des deux Allemagnes). Avec la construction du Mur, le 13 août 1961,

l'urbanisme de Berlin va être bouleversé. Deux idéologies s'affrontent dans une même ville. Le combat va durer 40 ans ! Les deux camps veulent démontrer leur supériorité. Dans les années 1950, Berlin-Est construit la Stalinallee (renommée Karl-Marx-Allee à partir de 1961 ; photo ci-dessus). Berlin-Ouest répond par une grande exposition d'architecture moderne en 1957, Interbau. Le Hansaviertel (Quartier de la Hanse), construit comme une vitrine du capitalisme, fait appel à des architectes célèbres comme Le Corbusier, Walter Gropius, Alvar Aalto, Max Taut, Hans Scharoun, Oscar Niemeyer ou Pierre Vago.

Berlin-Ouest se lance dans des projets de grands ensembles jusqu'à la fin des années 1970 (Gropiusstadt, Märkisches Viertel). De l'autre côté, Berlin-Est inaugure des projets symboliques autour d'Alexanderplatz : Haus des Lehrers, Palais des Congrès, grand magasin (aujourd'hui le Kaufhof), l'hôtel Interhotel (aujourd'hui le Park Inn), l'agence de tourisme Haus des Reises, mais aussi le ministère des Affaires étrangères (démoli en 1995) et la tour de télévision pour affirmer la supériorité des techniques communistes.

À l'Ouest, le tramway est supprimé en 1967 et n'a jamais été réintroduit. Aujourd'hui, les lignes ne sont pratiquement visibles qu'à l'est. Les premiers immeubles de plus de 20 étages commencent à fleurir au bord du Mur, le long de Leipziger Strasse (Mitte). À cette époque, l'Ouest répond du tac au tac : l'éditeur Axel Springer construit une tour de bureaux juste au bord du Mur pour y installer le plus grand quotidien d'Europe, le *Bild Zeitung*.

En 1976, les Allemands de l'Est lancent le plus important projet de construction de logements de l'histoire du pays. Jusqu'en 1990, 62 000 logements préfabriqués (*Plattenbauten*) sont bâtis dans le quartier périphérique de Marzahn. Il suffit de faire un tour avec le tram M5 le long de la Landsberger Allee pour se rendre compte aujourd'hui de la dimension du projet.

Au début des années 1980, le mouvement des squats à l'Ouest, notamment à Kreuzberg, permet de sauver de la destruction des centaines d'immeubles anciens, alors que les responsables politiques veulent tout raser pour construire des barres d'immeubles. Après la réunification de 1990, le mouvement des squats vit une renaissance à Berlin-Est. La politique de concertation de la mairie permet de légaliser la situation et de rénover les bâtiments sans résistance.

Après le départ des troupes américaines, britanniques, françaises et russes en 1994, le gouvernement allemand s'installe à Berlin en 2000. Un nouveau quartier gouvernemental sort de terre au milieu de la ville. Helmut Kohl voulait des bâtiments neufs pour la chancellerie et les ministères. Une décision controversée car la place ne manquait pas pour abriter le personnel politique. L'espace autour du Reichstag est occupé aujourd'hui par des immeubles neufs avec la Jakob-Kaiser-Haus pour les députés et la Paul-Löbe-Haus pour les commissions parlementaires.

À la fin des années 1990, la reconstruction de la Potsdamer Platz (photo ci-dessous) sur l'ancienne ligne de démarcation passionne le monde. Le chantier attire des millions de touristes chaque année. Les plus grands architectes participent au projet, tels Renzo Piano, Helmut Jahn, Richard Rogers, Arata Isozachi et Rafael Moneo. C'est l'époque où les guides proposent des visites en bottes sur les chantiers de la capitale. Enfin, les grandes ambassades sont reconstruites sur leur emplacement historique, comme l'ambassade de France, conçue par Christian de Portzamparc, et celle des États-Unis (Moore Ruble Yudell), toutes les deux à la porte de Brandebourg.

En 2006, Berlin met un terme à sa phase de reconstruction avec l'inauguration de la gare centrale (Hauptbahnhof ; voir p. 113), conçue par l'architecte allemand Meinhard von Gerkan. C'est une cathédrale de verre et d'acier mais aussi le dernier des "grands travaux" de Berlin.

Horreurs

"S'il existe un endroit sur terre où les fantômes se sentent bien chez eux, c'est à Berlin."

Nulle autre ville n'a érigé autant de mémoriaux et de musées en souvenir d'un siècle destructeur et d'une histoire nationale peu glorieuse.

Après de longs débats publics, un monument à la mémoire des juifs assassinés d'Europe (p. 97) a vu le jour en mai 2005 au sud de la porte de Brandebourg. La Maison de la conférence de Wannsee, où a été prise la décision d'exterminer les juifs d'Europe, a été rouverte au public après avoir été restaurée. Le centre Anne-Frank (Haus Schwarzenberg ; p. 77) a déménagé dans le cœur touristique de Berlin. Quant au Musée juif (p. 158), qui raconte l'histoire de 2 000 ans de présence juive en Allemagne, il s'avère une réussite architecturale et un succès incontesté.

Les fantômes de Berlin sont partout. Au musée Sachsenhausen, dans l'ancien camp de concentration qui formait les tortionnaires nazis, mais aussi au monument des victimes de la terreur communiste (mémorial du Mur ; p. 45), au musée de la Stasi (p. 173) et au Mémorial des soldats soviétiques (p. 173), le dernier endroit au monde ou l'on peut encore lire des citations de Staline, en or gravé.

Les bourreaux ont aussi leur musée depuis 2010. Le Centre de documentation sur la Gestapo (Topographie des Terrors ; p. 97) a ouvert après 13 ans de débats et de scandales. Construit entre le Musée juif de l'architecte Daniel Libeskind et le mémorial de l'Holocauste de Peter Eisenman, ce musée de la Gestapo vient renforcer l'image de ville mémoire que se donne Berlin. Cette fois, il s'agit d'expliquer, sur les 2 800 m² de l'ancien siège et maison d'arrêt de la Gestapo, comment fonctionnait le régime SS.

La soif de mémoire n'est pas pour autant assouvie. En souvenir des homosexuels persécutés par les nazis, deux artistes nordiques ont érigé en 2008 un mémorial près de la porte de Brandebourg. Un monument en souvenir des soldats de la Bundeswehr (l'armée allemande) morts en mission pour le maintien de la paix à l'étranger a été construit en 2009. Enfin, le mémorial de l'artiste israélien Dani Karavan en souvenirs des Roms victimes de l'Holocauste a été inauguré en octobre 2012 à côté du Reichstag.

Internet

www.visitberlin.de/fr Le site de l'office du tourisme (en français).

http://vivreaberlin.com/ Un site en français réalisé par une Française. Il est très bien fait et riche en informations culturelles et en adresses shopping.

www.berlin.de Le site officiel de la mairie de Berlin permet de trouver toutes sortes d'informations pratiques (en français).

www.berlin-airport.de Site des aéroports de Berlin (en anglais) avec tous les horaires en direct (idéal pour vérifier que l'avion n'est pas en retard).

www.bvg.de Le site des transports en commun (en anglais), avec des plans.

www.berlin-en-ligne.com Site en français très pratique sur l'histoire de Berlin.

www.clubmatcher.de (en anglais) Super site pour trouver un boîte de nuit. Entrez votre critères (prix, habillement, style de musique...) et vous obtenez une sélections de clubs avec texte, photos et programme.

http://berliner-unterwelten.de/tour-c.343.3.html Pour visiter les bunkers de Berlin (en français).

www.exberliner.com Journal anglophone indépendant de Berlin très bien fait. Idées de visites et infos pratiques. La version papier (mensuel) est en kiosque.

www.berliner-galerien.de Le site de la fédération des galeristes de Berlin. (en anglais).

www.tic-berlin.de Des informations sur l'histoire de Prenzlauer Berg. Infos pratiques également (en français).

www.lepetitjournal.com/berlin.html Pour des informations en français sur Berlin sur les grands sujets du moment.

www.zitty.de ou **www.tip.de** Les sites des deux hebdomadaires culturels berlinois (en allemand).

www.siegessaeule.de Site du magazine gay de Berlin (en allemand)

www.out-in-berlin.de Le site de la communauté gay et lesbienne de Berlin avec les rendez-vous et des informations pratiques (en anglais).

www.botschaft-frankreich.de Site de l'ambassade de France (en français).

www.berlin030.de Suit la scène musicale berlinoise (en allemand).

En général, les hôtels ont le Wi-Fi – plus rare pour les pensions. Certains bars et cafés ont le Wi-Fi gratuit – il suffit de demander le mot de passe au comptoir.

Immigration

"La Turquie est déjà entrée dans l'Union européenne."

Et ce, depuis près d'un demi-siècle !

Il suffit de se rendre à Kreuzberg, un quartier du centre de la capitale, pour s'en rendre compte. C'est une véritable Turquie en miniature sur les bords de la Spree.

Le boulanger, le coiffeur et l'épicier du coin de la rue sont tous turcs. Il y a ceux qui viennent d'Istanbul, qui ont l'allure des Européens, et ceux qui viennent des petits villages. Sur les marchés et devant les boutiques, ça sent bon les épices. Ici, les femmes voilées se mélangent aux jeunes musulmanes plus libérées, maquillées et arborant des talons aiguilles.

Tout cela donne un tableau exotique, surtout lorsqu'on habite de l'autre côté de la rivière, dans l'ancien Berlin-Est, où les étrangers sont pratiquement absents (il n'y avait pratiquement pas d'immigration en ex-RDA).

Sur 3,4 millions d'habitants, Berlin compte 460 000 étrangers de 180 nations différentes, soit 13,5% de la population. Parmi eux, les Turcs sont les plus nombreux (108 000), suivis des Polonais (42 000) et des Serbes (20 000). Les Français arrivent en 7e position avec près de 13 000 ressortissants.

À Berlin, il suffit de faire cinq stations de métro pour se changer les idées. Prenez la ligne U1 qu'on appelle l'"'Orient express". Elle mène au quartier turc. Mais vous ne débarquez pas dans un ghetto. Nous ne sommes pas dans un quartier dit "sensible" (il n'y en a pas !). On y entre sans crainte et on en sort plutôt rafraîchi. Une balade à Kreuzberg, c'est presque un week-end à l'étranger. À deux pas de chez vous.

Dans ce quartier, qui était autrefois le long du Mur, les Allemands vivent au milieu de ce bazar organisé. Mais sans rien connaître de la vie des Turcs. Depuis les années 1960, ces deux communautés se sont toujours regardées en chien de faïence. Demandez à un Allemand s'il sait dire "bonjour" en turc ! La seule chose qui relie vraiment les deux communautés, c'est le *döner kebab*, le sandwich préparé par le Turc et dévoré par l'Allemand.

Tout ce monde interlope vit bien sûr dans une harmonie de façade. Berlin, c'est le contre-exemple d'une politique d'intégration réussie. Mais le tableau est plutôt réussi !

J

"La communauté juive berlinoise est en pleine renaissance."

uifs

Les synagogues sont sous la protection de l'État, jour et nuit. Cette anormalité est devenue une normalité en Allemagne. Malgré toutes les mesures de sécurité, la synagogue de Rykestrasse (p. 44), dans le quartier de Prenzlauer Berg, reste parfois fermée au public... pour des raisons de sécurité.

Depuis l'effondrement de l'Union soviétique, les Allemands s'intéressent à leur communauté juive, en pleine renaissance. Pour les juifs, il s'agit d'un "miracle". Berlin héberge la plus grande communauté d'Allemagne avec 12 000 membres (dont 75% de Russes). Le "miracle" est visible les jours d'office. Les fidèles se promènent dans les rues du quartier de Rykestrasse coiffés de kippas. Un spectacle inimaginable il y a encore 20 ans.

La plus grande synagogue d'Allemagne fut pratiquement réduite au silence après la guerre, faute de survivants. Épargnée par miracle pendant la Nuit de cristal (1938) et profanée par les nazis qui la transformèrent en écurie, elle a été rénovée et peut accueillir aujourd'hui 1 200 fidèles. Elle dispose d'un budget de plus de 26 millions d'euros, de 400 salariées, de maisons de retraites, d'écoles...

En autorisant les juifs d'Europe de l'Est à s'installer en Allemagne, sans autre condition que de prouver leur appartenance religieuse, les Allemands ont voulu encourager la renaissance du judaïsme dans leur pays. Le résultat est concluant ! Dans les années 1990, l'Allemagne a même été la première destination mondiale des juifs des pays de l'Est. Une situation qui a exaspéré les Israéliens, étonnés de voir leurs frères de religion choisir le pays des bourreaux plutôt que la Terre promise. Si l'on ne tenait pas compte de cette immigration, la communauté juive en Allemagne aurait pratiquement disparu avec seulement 12 000 membres. On en compte aujourd'hui 120 000, selon le Congrès mondial des juifs russophones.

Littérature

Berlin rêverait de redevenir la ville littéraire qu'elle a été dans les années 1920. Elle a repris un peu d'espoir avec l'arrivée de Suhrkamp en 2009. En effet, la plus prestigieuse des maisons d'édition allemandes a décidé de quitter Francfort, l'actuelle capitale de la littérature en Allemagne. L'éditeur a décidé de rejoindre les bords de la Spree afin d'être au "cœur de la création" et de vivre parmi les talents de la littérature de demain. Il faut dire que les auteurs contemporains se sentent bien dans la capitale. On trouve notamment l'Allemand Bernhard Schlink, l'auteur du célèbre ouvrage *Le Liseur* (Folio) publié en 1995, actuellement professeur de droit public et de philosophie du droit à l'université Humboldt. La Française Marie N'Diaye, Prix Goncourt 2009 pour *Trois Femmes puissantes* (Gallimard, 2009), a également élu domicile à Berlin.

Parmi les auteurs célèbres liés à la capitale, on citera notamment Theodor Fontane, l'un des principaux représentants allemands du réalisme, mais aussi Kurt Tucholsky, l'un des écrivains les plus significatifs de la république de Weimar. Enfin, Bertolt Brecht est la figure emblématique du théâtre berlinois. Il vécut à Berlin-Est pendant la division sous la surveillance du régime est-allemand dans son théâtre du Berliner Ensemble.

Le roman le plus célèbre sur Berlin est sans aucun doute celui d'Alfred Döblin, *Berlin Alexanderplatz* (1929 ; Folio, 2010), qui décrit la pauvreté et la misère de la ville. Joseph Kessel décrit quant à lui le crime organisé dans son roman-reportage *Bas fonds de Berlin* (1932 ; *Nuits de Montmartre*, Éd. 10/18). Plus marquant encore, le roman de l'auteur berlinois Hans Fallada, paru en 1947, *Seul dans Berlin* (Folio, 2004). Un terrible roman tiré d'une histoire vraie sur la vie quotidienne sous le nazisme dans un immeuble de la rue Jablonski à Prenzlauer Berg. On peut se balader dans cette rue à l'Est et s'imaginer les scènes de ce roman consacré à la résistance antinazie des gens modestes. Hans Fallada fait partie des auteurs allemands les plus connus de la première moitié du XXe siècle.

Mode

Personne en Allemagne ne s'habille aussi mal que les Berlinois. Ici, vous pouvez aller à l'opéra en jeans ou en survêtement. Personne ne vous regardera de travers. Les cravates ne passent pas très bien à Berlin. Pire : si vous cherchez à vous habiller, on vous reprochera d'être trop élégant ! Les seuls à être vraiment fiers de leur tenue dans le métro, ce sont les ouvriers et les artisans en bleu de travail.

Et, pourtant, la capitale vit un incroyable renouveau dans le domaine de la mode. Déjà, en 1835, Berlin était la première ville du monde à proposer des habits fabriqués en série. Les nazis ont mis un terme à cette tradition en fermant toutes les boutiques de confection dans les années 1930. Elles étaient tenues le plus souvent par des familles juives.

Berlin attire aujourd'hui des milliers de petits créateurs de mode qui viennent y tenter leur chance. On compte déjà plus de 100 marques indépendantes ! Avec six salons de prêt-à-porter, Berlin s'affirme même comme une rivale de Milan et de Paris ! C'est une ville jeune, beaucoup moins chère que New York ou Londres. Ici, l'argent n'est pas encore roi, laissant de la place à la créativité. Ces deux dernières années, une multitude de petits magasins de mode et de petits couturiers se sont installés aux alentours de la Kastanienallee. Une rue qui a été rebaptisée depuis l'"allée du casting" et qui vous offre l'impression de sortir des sentiers battus. Entre les boutiques Crème Fresh ("*fresh*" veut dire "insolent" en allemand), Maphia ou Thatchers, on trouve aussi des dizaines de magasins de fringues plus ou moins excentriques. La tendance actuelle, ce sont les T-shirts avec des motifs divers et variés sur le thème de Berlin. Une véritable foire aux vêtements !

Naturellement, chez les petits couturiers, les prix ne sont pas les mêmes que chez H&M. Mais ils peuvent être négociés en période de soldes. Les créateurs se font un plaisir de vous accueillir dans leurs ateliers pour vous confectionner une veste ou une robe sur mesure. Après, vous pourrez prendre un chocolat chaud dans l'un des petits cafés cosy des environs. À pied et pour quelques euros. Franchement, c'est beaucoup plus vivant que dans les quartiers de la mode à Paris, à Londres ou à New York.

Mur de Berlin

> "Les conséquences de la division sont encore visibles aujourd'hui."

Construit un dimanche, le 13 août 1961, le Mur devait empêcher la population de fuir l'est-RDA. Il a tenu debout 28 ans, jusqu'au 9 novembre 1989. Mais les conséquences de la division sont encore visibles aujourd'hui. Il suffit d'aller à Bernauer Strasse pour s'en rendre compte. C'est d'ailleurs dans cette rue que se trouve le Centre de documentation du Mur (p. 45).

Dans Bernauer Strasse se sont déroulées les scènes les plus dramatiques. Les images ont fait le tour du monde : habitants sautant par les fenêtres, familles séparées déchirées se faisant des adieux à distance en agitant leur mouchoir. C'est ici que Conrad Schumann, le soldat le plus célèbre de la RDA, a jeté son arme à terre pour rejoindre le secteur français. Malgré tous les efforts de réunification, la cicatrice n'a jamais disparu. Certains habitants de Prenzlauer Berg (Est) ne se rendent jamais à l'Ouest. Pour eux, Bernauer Strasse est toujours une frontière, sociale cette fois. À 100 m de chez eux, c'est le bout du monde. De "l'autre côté" se trouve le quartier populaire de Wedding. Entièrement reconstruit dans les années 1970, il comprend une communauté étrangère très importante (notamment turque) qui n'existe pas à l'Est. Ces deux mondes vivent toujours séparément. Les familles turques osent à peine aller dans un parc à l'Est. Les gens de l'Est se rendent parfois au supermarché à l'Ouest. Sinon, c'est le vide.

Tandis que Wedding s'est appauvri avec la réunification, Prenzlauer Berg a complètement changé. Plus de 80% des habitants ont quitté le quartier depuis 1989. Autrefois, on fuyait Prenzlauer Berg à cause de la dictature et de la grisaille. Aujourd'hui, les loyers sont parmi les plus élevés de Berlin. Interphones, parkings et boutiques de luxe ont transformé un quartier où vivaient autrefois intellectuels de l'Est, artistes dissidents, mais aussi les fidèles serviteurs de la dictature pour surveiller la frontière. Ce bouleversement social s'exprime dans les urnes : ici, les écologistes arrivent en tête des élections !

> "Berlin est tolérante
> en matière de nudité."

Nudité

Pour beaucoup d'étrangers, la confrontation avec la nudité est l'une des premières surprises qu'offre Berlin. Lorsqu'ils débarquent pour la première fois sur une plage du lac de Wannsee ou dans le Tiergarten, ils sont choqués. Les nudistes sont partout ! Mais, avec le temps, on s'habitue. Berlin est tolérante en matière de nudité. Mais il n'en fut pas toujours ainsi. Au temps de Guillaume II, roi de Prusse et empereur d'Allemagne, il ne serait venu à l'idée de personne de se dévêtir en plein air. L'ambiance a changé après la Première Guerre mondiale, lorsque la pâleur ne fut plus à la mode et que les adeptes du FKK (Freikörperkultur), la "culture du corps libre", lancèrent leur mouvement contre le "pessimisme ambiant".

Aujourd'hui, la liberté est totale. Pour tester la tolérance de la capitale en matière de nudité, le gourou du FKK, Peter Niehenke, défile régulièrement nu avec ses adeptes entre la porte de Brandebourg et l'Alexanderplatz sous les applaudissements des badauds, les rires des touristes et les klaxons des automobilistes émoustillés.

L'influence des Allemands de l'Est a joué aussi un rôle dans l'évolution des mentalités. À l'époque de la RDA, les Berlinois de l'Est étaient des grands adeptes du FKK malgré une résistance de la part du régime communiste. La présence de nombreux lacs à Berlin et la proximité des plages de la mer Baltique ont participé à la culture de la nudité dans la capitale.

Aujourd'hui, les défilés d'homosexuels et de travestis font partie des rendez-vous traditionnels de la capitale. Les étudiants manifestent nus (même en plein hiver) contre les restrictions budgétaires qui frappent les universités. Mais, contrairement aux années 1960, cette forme de provocation ne suffit plus. Pour provoquer, il faut avoir du contenu dans le message. Les étudiants inscrivent à la peinture sur leur corps : "Nous vous offrons notre dernière chemise !"

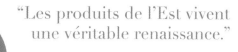

"Les produits de l'Est vivent une véritable renaissance."

"Ostalgie"

Après la chute du Mur, les "Ossis" (Allemands de l'Est) se sont jetés sur les produits occidentaux en délaissant les produits qu'ils avaient consommés pendant près de 40 ans. Dans les épiceries de Berlin-Est, on s'en souvient encore. Les anciens "Konsum" (magasins d'État) ont vu disparaître du jour au lendemain tous les produits est-allemands.

Après avoir été littéralement abreuvés de produits occidentaux, les Ossis sont revenus à leurs marques du bon vieux temps. On préfère ainsi boire du Vita-Cola plutôt que du Coca-Cola et fumer les cigarettes F6 plutôt que des Marlboro. Peu importe si le nouveau propriétaire de ces marques est un brasseur ouest-allemand ou un fabricant américain de cigarettes... Cela n'a plus rien d'idéologique. C'est un sentiment nostalgique. C'est pour cette raison qu'on appelle ce phénomène l'"Ostalgie" (de "*Ost*", Est en allemand).

Les établissements sur le thème de la RDA sont nombreux à Berlin. On n'a plus honte de mettre le portrait du dictateur au mur comme à l'hôtel Ostel à Friedrichshain (p. 202). On ne compte plus les cafés berlinois qui décorent leur mur d'insignes est-allemands et qui jouent avec la terminologie communiste. Risée de la population autrefois, les portraits d'Erich Honecker (numéro 1 est-allemand) et de Lénine refont ainsi surface. Au café Die Tagung (p. 176), les murs sont couverts d'objets de l'ex-RDA.

Le symbole de l'Ostalgie est l'Ampelmann (p. 90). Le bonhomme des feux de signalisation en Allemagne de l'Est est devenu un objet culte et un grand succès commercial. Le "sauveur" de l'Ampelmann est Martin

Heckhausen, qui avait récupéré les bonhommes dans les poubelles. Aujourd'hui, il vend près de 600 articles à l'effigie de l'Ampelmann, a ouvert un restaurant à Berlin, a donné naissance à une version féminine ("Ampelfrau") et a obtenu un succès inespéré à l'étranger, notamment au Japon.

"Chèques ? Cartes de crédit ? Connais pas !"

Pratique

On n'accepte que du liquide à Berlin ! Même dans le plus grand magasin d'électronique, il est impossible de payer avec une Visa. Dans la capitale de la première puissance économique d'Europe, les cartes de crédit sont tout simplement inutiles ! Même Ikea n'en veut pas !

Les Berlinois préfèrent le liquide. Ils paient tout en cash, même leur voiture ! Pas étonnant que l'Allemagne ait été autorisée à produire le plus gros quota de liquide dans l'Union européenne pour assurer ses besoins en liquidité de ses concitoyens. Pourquoi les Européens de la zone euro ont-ils aujourd'hui un billet de 500 € ? Ce sont les Allemands qui l'ont imposé !

Assurez-vous donc d'avoir toujours sur vous des espèces sonnantes et trébuchantes. Dans les cafés, les touristes se retrouvent souvent piégés après une tournée de bière, persuadés de pouvoir régler par carte une note dépassant les 50 €. "Pas possible !" répondent les serveuses en indiquant le distributeur le plus proche. À 15 minutes à pied... Pas étonnant qu'une bande de gangsters masqués ait eu l'idée un jour de débarquer dans les cafés à la fin du service pour réclamer la recette. Après minuit, les cafés de Berlin sont de vrais guichets de banque.

N'oubliez pas non plus de laisser un pourboire aux serveuses et aux serveurs dans les cafés et les restaurants (les Français ont la mauvaise réputation à Berlin de ne pas laisser de pourboire !). Cela fait partie du salaire du personnel. Le principe est le suivant : quand la note vous est présentée, vous ajoutez environ 10% et annoncez au serveur la somme que vous voulez payer (en arrondissant à l'euro supérieur). Si la note est de 17,50 €, annoncez 20 €. On ne laisse pas le pourboire sur la table.

Enfin, faites attention aux heures d'ouverture des commerces. Depuis quelques années, les horaires ont été assouplis. Les supermarchés sont ouverts jusqu'à 20h (jusqu'à minuit dans certains quartiers). Mais les petits commerces n'ont pas suivi le mouvement. On ferme souvent à 18h30 en semaine et entre 14h et 16h le samedi. Dans les grandes gares, en revanche, c'est ouvert tous les jours.

Rues

À Berlin, la nomenclature des rues est un formidable baromètre politique. Les guerres, les révolutions, les contre-révolutions et les chutes de mur ont rebaptisé boulevards et places à une telle vitesse qu'il est souhaitable aujourd'hui d'acheter un nouveau plan de ville à chaque nouvelle visite pour être sûr de trouver une adresse.

Au cours de son histoire, Berlin a changé 3 700 fois le nom de ses rues. Plus de 80 rues depuis la réunification de 1990 ! Good bye allée Lénine, adieu rue Wilhelm Pieck (premier président de la RDA) ! Parmi les très rares communistes qui ont sauvé leur plaque, on trouve le premier commandant soviétique de la zone d'occupation alliée, Nicolaï Bersarin. Éliminé de la liste des citoyens d'honneur en 1992, il a même réussi à retrouver son titre en 2003 grâce à l'élection des postcommunistes à la mairie.

Même histoire pour les grands dignitaires fascistes qui devaient être "rayés de la carte". Certains ont réussi à passer entre les mailles de la dénazification. L'historien Heinrich von Treitschke, tristement connu pour la formule "Les juifs sont notre malheur", est toujours maître de sa rue. Difficile à le croire, mais il a "sauvé sa plaque" parce que les habitants refusaient de changer d'adresse.

Quant à la plus élégante des Berlinoises, elle a eu un mal de chien à s'imposer dans sa ville d'origine. La scandaleuse Marlene Dietrich, accusée de "traître à la patrie" à son retour d'exil en 1960, n'a jamais été la bienvenue ! Il a fallu lui trouver une "place" qui n'oblige personne à changer d'adresse : dans le nouveau quartier de Potsdamer Platz.

Enfin, à l'issue d'une bataille juridique et politique digne des grandes heures de la guerre froide, Rudi Dutschke a trouvé lui aussi son bout de rue, au grand dam de la droite conservatrice. La rue passe au pied de l'immeuble du grand quotidien populaire *Bild* accusé d'avoir mené dans les années 1960 une campagne virulente contre le leader de la rébellion étudiante et provoqué ainsi l'attentat dont il fut victime en 1979. Ironie de l'histoire, sa rue croise l'Axel-Springer-Strasse, patron décédé du groupe de presse de ce journal à scandales. À Berlin, l'Histoire se télescope à chaque coin de rue...

> "Le Berlin tendance a pris
> ses quartiers sur les berges
> de la Spree."

S pree

La rivière qui traverse la capitale marquait autrefois la frontière avec l'Est communiste entre Kreuzberg et Friedrichshain. Aujourd'hui, le Berlin tendance a pris ses quartiers sur les berges. Les nouveaux amuseurs se sont installés dans les anciennes "Fabrik" en brique rouge.

Sur les deux rives de la Spree, autour de l'Oberbaumbrücke (voir p. 172), s'érige aussi un nouveau quartier de verre et de lumière. Des dizaines d'investisseurs partent à la reconquête des rives sur près de 4 km. Ils ont l'ambition de faire naître ici Media Spree, le "quartier des médias, de la mode, de la musique et des services". Les bâtiments transparents doivent s'intégrer dans la brique des anciens réservoirs, usines de confitures, entrepôts et stations hydrauliques du début du XXe siècle. On a fait appel à des architectes connus (Axel Schultes, Kühn&Kühn, Helmut Jahn, Kollhoff) pour aménager plus de 120 ha et faire sortir de terre plus d'un million de m² de bureau. Le volume d'investissement est de 2,5 milliards d'euros.

Le projet a pris son envol en 2002 après l'installation de MTV et du siège allemand d'Universal. Le syndicat des services (Verdi), la régie des transports en commun (BVG), les services de nettoyage (BSR) et les activités portuaires (BEHALA) ont suivi. Quant au groupe américain de divertissement AEG, il a construit en 2008 l'O2 World, une salle omnisports de 150 millions d'euros pouvant accueillir 17 000 spectateurs.

Le quartier a ses atouts. Il attire les touristes avec l'East Side Gallery (p. 172). Les noctambules se concentrent autour du pont Oberbaumbrücke, fréquentant les clubs et les bars lounge les plus courus de la capitale.

Media Spree ne devrait pas être achevé avant 20 ans. On a comparé hâtivement ce projet à la Potsdamer Platz. Non seulement la surface est huit fois plus grande, mais surtout l'euphorie de la réunification est oubliée.

Squatt

> "Les responsables politiques ont suivi une politique de conciliation."

On a du mal à le croire mais des centaines d'appartements étaient encore squattés à Kreuzberg à la fin des années 1970 et au début des années 1980. Aujourd'hui, il n'y a plus de squats dans le quartier, mais l'esprit de protestation est resté. Les appartements de luxe sont construits sous la surveillance de vigiles !

Le mouvement des squatteurs aura permis de sauver Kreuzberg de la destruction. À l'époque, les planificateurs avaient prévu de raser une bonne partie du quartier pour en faire une nouvelle ville avec une autoroute au milieu ! Les jeunes avaient pris d'assaut les immeubles voués à la destruction. Ils les ont entretenus avec plus ou moins de succès. Après une période de tolérance, la mairie a durci sa politique en procédant à des expulsions par la force au début des années 1980. On se souvient de véritables scènes de guerre civile dans les rues. Cette tradition de la protestation s'est poursuivie notamment lors du 1er mai. Chaque année, Berlin est en état de siège. Les affrontements entre la police et les manifestants font des dizaines de blessés.

Le mouvement a connu une prolongation avec la chute du Mur dans les quartiers de Mitte, de Prenzlauer Berg et de Friedrichshain. Encore une fois, des centaines d'immeubles en mauvais étaient condamnés à la démolition. En 1990, le centre culturel Tacheles (p. 78) fut occupé. En novembre, la

Mainzer Strasse, à Friedrichshain, fut le théâtre de heurts violents entre les squatteurs et la police, ce qui entraîna la démission du gouvernement de Berlin.

Pour éviter les conflits, les responsables politiques ont suivi une politique de conciliation comme à Kreuzberg pour légaliser la situation. Ils ont négocié avec les squatteurs des programmes de rénovation subventionnés et des loyers très bas sur une période de 10 à 20 ans (souvent que les charges à payer). Résultat : il n'existe plus aucun squat illégal à Berlin aujourd'hui.

"Les transports en commun
sont si pratiques !"

Transports

Ah ! Berlin sans voiture. Quel bonheur !
Les transports en commun sont si pratiques ! Et il n'y a même pas de tourniquet. Plusieurs lignes de bus, de métros et de S-Bahn (RER) roulent même toute la nuit. Un trajet en S-Bahn sur le grand viaduc ferroviaire entre Zoologischer Garten et Alexander Platz vaut tous les bus touristiques. Si vous aimez les bus, vous pouvez prendre le 100 qui passe devant les sites les plus visités (Gedächtniskirche, quartier des ambassades, place de l'étoile Grosser Stern, château de Bellevue, Reichstag, porte de Brandebourg, Unter den Linden...).

L'avantage, c'est que cela ne coûte rien si l'on a déjà un billet de métro et on peut descendre à chaque station.

Les tarifs, en revanche, sont compliqués. Sur les distributeurs, vous ne saurez pas sur quel bouton appuyer. Un trajet (aller) coûte 2,40 € (zone AB). Les billets touristiques proposés par la régie BVG peuvent être intéressants, car ils sont couplés avec des entrées gratuites et des réductions dans certains musées (WelcomeCard 5 jours, 30,90 € pour la zone AB). Le mieux, c'est de prendre un ticket à la journée (Tageskarte, 6,50 € pour la zone AB, valable jusqu'à 3h du matin). Mieux encore, vous pouvez prendre un ticket 7 jours (7-Tage-Karte, 27,20 €), même si vous restez moins longtemps. Il est valable pour un 2e adulte à partir de 20h dans la semaine et toute la journée samedi, dimanche et les jours

fériés. Il est également transmissible. À partir de trois personnes, vous pouvez prendre le ticket journée à 15,50 € pour un petit groupe (5 personnes maximum).

Prenez la zone AB qui suffit amplement (vous pourrez éventuellement acheter un supplément pour la zone C si vous allez à Potsdam). N'oubliez pas de poinçonner votre ticket. Les contrôles sont devenus fréquents et les agents ne sont pas commodes.

Quant aux taxis, ils n'ont pas la réputation d'être aimables. Mais ils sont corrects et connaissent bien leurs trajets. La prise en charge est de 3,20 € quel que soit l'endroit d'où il vient (pas de supplément "trajet d'approche", pas de supplément bagages). Le prix au kilomètre est de 1,65 € (1,28 € au-delà de 7 km). Le paiement en liquide est préférable. Laissez 10% de pourboire.

Attention pour ceux qui viennent en voiture : une vignette pour les zones écologiques est obligatoire (pour le centre de Berlin). Information sur www.umwelt-plakette.de.

élo

Quel plaisir de se balader à Berlin à vélo ! Il y a des pistes cyclables partout (600 km !). Il existe même des rues réservées aux vélos comme dans Linienstrasse à Mitte. Dès les premiers rayons de soleil, on compte jusqu'à 500 000 cyclistes dans la ville.

Mais, attention, la circulation est dangereuse. Les trams qui n'ont pas de voie propre sont un piège à éviter. Les étrangers qui vivent à Berlin ont tous fait l'expérience de la roue qui se bloque dans les rails. Par ailleurs, méfiez-vous des autres cyclistes. Certains conduisent comme des chauffards. Si vous marchez sur les pistes cyclables, vous risquez de vous faire rappeler à l'ordre. Beaucoup ne respectent pas le code de la route. Enfin, il faut faire très attention aux voitures qui s'engouffrent dans les rues en traversant la piste cyclable (parallèle aux passages piétons). Les vélos ont la priorité, mais les automobilistes ne les voient pas toujours ! Soyez prudent, mettez un casque si possible, ne prenez pas de risques inutiles et surtout arrêtez-vous aux feux rouges ! Certains conducteurs agressifs sont capables de vous foncer dessus pour vous rappeler à l'ordre. Chaque année, on dénombre plus de 7 000 blessés dans des accidents impliquant des bicyclettes.

Une douzaine d'itinéraires sont fléchés pour de superbes balades allant jusqu'aux frontières de la ville (plusieurs dizaines de kilomètres !). Plan : www.stadtentwicklung.berlin.de/verkehr/mobil/fahrrad/radrouten.

En cas de fatigue, vous pouvez revenir en S-Bahn, en métro ou même en tram. Le transport des vélos est autorisé dans les transports en commun (à part le bus) pour le prix d'un ticket "vélo" (1,50 €). Attention, seules certaines voitures sont réservées aux bicyclettes (elles sont indiquées par un sigle).

Un itinéraire est particulièrement apprécié. Il s'agit de la piste cyclable du mur de Berlin (Berliner Mauer Radweg) de 160 km réalisée entre 2002 et 2006 le long de l'ancienne frontière.

La location de vélo s'est beaucoup développée, ainsi que les visites guidées en bicyclette. Voici quelques adresses : www.berlinfahrradverleih. com (Alexander Platz et Zoo, aussi en français) ; www.fahrradstation.com (Prenzlauer Berg) ; www.berlinonbike.de (Prenzlauer Berg, aussi en anglais) ; www.takeabike.de (Mitte, aussi en anglais et en italien).

"Pourquoi Berlin a-t-elle deux zoos ?"

Zoo(s)

C'est un héritage de la guerre froide. Quand on vit séparé par un mur pendant 28 ans, il est normal d'avoir chacun son zoo, non ? À l'Ouest, le Zoologischer Garten (métro U9, S-Bahn Zoologischer Garten), auquel les Berlinois sont très attachés (certains en possèdent même fièrement des actions). À l'Est, le Tierpark (métro U5 Tierpark), moins populaire mais aussi agréable et approprié aux balades.

Le Zoologischer Garten est mondialement connu depuis la naissance de l'ourson polaire Knut en décembre 2006, sauvé par un soigneur. Knut avait déclenché un engouement sur toute la planète ! Les ministres se sont fait photographier à ses côtés et Tom Cruise et Leonardo DiCaprio n'ont pas manqué de lui rendre visite pendant leur séjour dans la capitale.

Berlin, qui croule sous les dettes, aurait pu fermer l'un des deux zoos pour faire des économies. Mais, voilà, on ne supprime pas facilement de telles institutions. On pensait un moment financer tout cela avec un nouveau boom économique. Mais l'euphorie d'après la chute du Mur, le 9 novembre 1989, est bien loin ! Berlin n'est pas devenue le grand pôle économique qu'on espérait et le déménagement du gouvernement n'a pas dynamisé l'économie. Hambourg enregistre toujours un produit intérieur brut par tête deux fois supérieur à la capitale. À Munich, il est même trois fois supérieur... Les grandes entreprises qui avaient quitté la ville après la construction du Mur, le 13 août 1961, ne sont pas revenues. Située aux portes de l'Union européenne, à seulement 80 km de la Pologne, la capitale est isolée économiquement

au milieu de la plaine brandebourgeoise. Avec plus de 220 000 chômeurs, Berlin a doublé son taux de chômage en 20 ans (13%). Et le nombre d'habitants a stagné à 3,4 millions alors qu'on s'attendait à une explosion démographique en 1989... Il y avait même plus de monde à Berlin en 1940 (4,5 millions d'habitants) !

Quartier par Quartier

 PRENZLAUER BERG

MITTE – ALEXANDER PLATZ

MITTE – HACKESCHER MARKT

MITTE – UNTER DEN LINDEN

TIERGARTEN

CHARLOTTENBURG

SCHÖNEBERG

KREUZBERG

FRIEDRICHSHAIN

Prenzlauer Berg

PARFUM DE BOHÈME

L'attrait de ce quartier mythique reste immense malgré le bouleversement qu'il a subi depuis la réunification (80% de la population a changé). Misérable au tournant du XXe siècle avec ses "casernes" où s'entassaient les ouvriers de la révolution industrielle, Prenzlauer Berg a été épargné par les bombardements de la Seconde Guerre mondiale de sorte qu'on retrouve ici quelques traces du Berlin d'autrefois. Laissé à l'abandon par le régime communiste, le quartier fut squatté après la chute du Mur. Depuis, il s'est normalisé, mais il attire toujours autant les artistes du monde entier.

REPÈRES

LE QUARTIER TENDANCE : Helmholtzplatz
LE QUARTIER DE LA MODE : Kastanienallee
LE QUARTIER HISTORIQUE : autour de Kollwitzplatz

ESSENTIELS

LE MÉMORIAL DU MUR/⊙3 : pour comprendre comment fonctionnait le système pervers du régime est-allemand pour empêcher sa population de fuir (détails p. 45).

LA KOLLWITZPLATZ/⊙10 : la place la plus fréquentée des bobos de Prenzlauer Berg avec son marché du samedi où se montrent les personnalités de la politique et des médias (détails p. 47).

LE CIMETIÈRE JUIF/⊙1 : ce lieu de recueillement, chargé d'histoire et loin des bruits de la ville, fut profané par les nazis (détails p. 44).

LA KULTURBRAUEREI/⊙4 : l'ancienne brasserie squattée par les artistes dans les années 1990 est un centre culturel dynamique (détails p. 45).

LA KASTANIENALLEE/⊙9 : surnommée l'"allée du casting" en raison de ses boutiques de mode typiquement berlinoises (détails p. 46).

LE MAUERPARK/⊙11 : l'ancien no man's land du Mur s'est transformé en lieu de fêtes où les jeunes viennent jouer de la musique, faire des parties de pétanque et de karaoké (détails p. 61).

Confidentiels

LA ZIONSKIRCHPLATZ/⊙12 : une petite place qui nous plonge dans le Berlin d'avant guerre avec ses rues sinueuses et son église protestante (détails p. 47).

LA GEHTSEMANEKIRCHE/⊙5 : cette église est restée le symbole de la révolution pacifique de 1989 (détails p. 45).

LA WASSERTURM/⊙7 : lieu de torture pour les nazis, l'ancien château d'eau est aujourd'hui une oasis de verdure avec une esplanade accessible au public (détails p. 46).

LE PRATER GARTEN/♥36 : ce *biergarten* typiquement berlinois a survécu au temps et aux régimes politiques (détails p. 55).

LE MUSÉE DU QUARTIER/⊙2 : un modeste musée qui nous permet de comprendre les bouleversements urbanistiques et sociaux de Prenzlauer Berg depuis la réunification de 1990 (détails p. 46).

SCHIVELBEINER STR.

SCHÖNHAUSER ALLEE

41

Kopenhagenerstr.

Gleimstrasse

Gaudy Strasse

N12

56

Cantianstrasse

SCHÖNHAUSER ALLEE

PAPPEL

43

EBERSWALDER STRASSE

11

45

54

N8

EBERSWALDER STRASSE

57

17

42

36

24

Oderbergerstrasse

14

15

34

58

49

52

51

N1

N29

Sredzk

20

BERNAUERSTRASSE

Ruppinerstrasse

Wollinerstrasse

Schwedterstrasse

8

KASTANIENALLEE

Choriner strasse

3

Brunnenstr.

BERNAUER
STRASSE

Strelitzer str.

12

47

Zionkirch-
platz

44

Fehrbellinerstrasse

Schwedterstrasse

1

27

Ackerstrasse

Veteranenstr.

23

Weinbergsweg

46

Senefe
Platz

SENEFELDER
PLATZ

35

N10

Brunnenstr.

33

ROSENTHALER
PLATZ

Rosenthaler
Platz

30

SCHÖNHAUSER ALLEE

TORSTRASSE

32

Strassburger

500 m

42

ROSA
LUXEMBURG
PLATZ

21

SCHÖNHAUSER ALLEE Ⓢ

WICHERTSTRASSE

STAHLHEIMER-STRASSE

...magener Str.

5

38

55

Stargarderstrasse

PRENZLAUER ALLEE Ⓢ

GRELLSTRASSE

ALLEE

26

37

Lychener Strasse

18

63

N2

50

Schliemannstr.

Dunckerstrasse

Senefelderstrasse

PRENZLAUER ALLEE

61

DANZIGERSTRASSE

Fröbelplatz

GREIFSWALDER STRASSE Ⓢ

19

Husemannstrasse

Strasse

22

40

Kollwitzstrasse

Rykestrasse

DANZIGERSTRASSE

13

GREIFSWALDERSTRASSE

...ck Strasse

...3

10

16

59

Wörthestr.

PRENZLAUER ALLEE

Jablonskistrasse

Chodowieckstrasse

Christburger

48

28

Strasse

60

29

Knaackstrasse

62

Marienburgerstrasse

7

6

Winsstr.

Immanuelkirchstrasse

BELFORTERSTR.

METZER STR.

Str.

39

PRENZLAUER ALLEE

Heinrich-Rollerstr.

N9

GREIFSWALDERSTRASSE

31

Platz am Königstor

Ⓞ Visiter

🍴 À table

🍷 Autour d'un verre

🛍 Un peu de shopping

🌙 Sortir (voir chapitre spécifique p. 181)

43

VISITER

Des cafés à tous les coins de rue, des boutiques à n'en plus finir, des monuments, des cimetières, des églises, des centres culturels... une balade à pied dans le quartier des bobos de Berlin peut durer une journée entière. Que l'on peut continuer la nuit dans ses clubs et ses bars tendance.

1. CIMETIÈRE JUIF

La nature tente de reprendre le dessus sur les 22 000 pierres tombales dans ce cimetière profané par les nazis pendant la Seconde Guerre mondiale. Un endroit merveilleux, vaste de cinq hectares, pour échapper aux bruits de la ville. Utilisé entre 1827 et 1880, il fut restauré en 1990 et enrichi d'un petit musée sur l'histoire du cimetière (lapidarium). Le peintre Max Liebermann, le compositeur Giacomo Meyerbeer et l'éditeur Leopold Ullstein sont enterrés ici.

⤷ *Le cimetière juif de Weissensee, plus au nord, est encore plus impressionnant (925 33 30 ; Herbert-Baum-Strasse 45 ; dim-jeu 8h-17h, nov-mars jusqu'à 16h, ven 7h30-14h30 ; Tram M4, M12, M13 Antonplatz).*

Jüdischer Friedhof • Schönhauser Allee 23, 10435 441 98 24 • été (avr-sept) lun-jeu 8h-16h, ven 7h30-14h30, hiver lun-jeu 8h-16h, ven 7h30-14h30, fermé sam (shabbat) et jours fériés juifs • couvre-chef obligatoire pour les hommes (disponible à l'entrée)
Ⓤ2 Senefelder Platz

2. SYNAGOGUE

Épargnée par miracle pendant la Nuit de cristal (1938) et profanée par les nazis qui la transformèrent en écurie, la plus grande synagogue d'Allemagne, située dans l'ancien Berlin-Est, fut pratiquement réduite au silence après la guerre, faute de survivants. L'arrivée de juifs d'Europe de l'Est après l'effondrement de l'Union soviétique a redonné vie à cette communauté. La synagogue a été rénovée et peut accueillir aujourd'hui 1 200 fidèles.

⤷ *Pour des raisons de sécurité, la synagogue est fermée au public.*

Synagoge Rykestrasse Rykestrasse 53, 10405 880 28 316 • www.jg-berlin. org • jeu 14h-18h, dim 13h-17h • entrée 3 € , visite guidée 6 € (jeu 14h et 16h, dim 13h et 15h ; en allemand, en français sur demande) • Ⓤ2 Senefelder Platz • Tram M2

GRA-TUIT

3. MÉMORIAL DU MUR DE BERLIN

Pour s'informer sur le système de sécurité du Mur, un no man's land miné et éclairé par la lumière glauque des réverbères, on doit se rendre ici, au centre de documentation et au mémorial de la célèbre Bernauer Strasse. Il y a d'excellentes expositions en plein air, ainsi qu'un film historique très instructif en 3D et de la documentation sur le sujet (également en français). C'est le seul endroit où le Mur est encore visible dans sa totalité.

À ne pas confondre avec le musée privé de Checkpoint Charlie (p. 99), moins intéressant d'un point de vue historique.

Bernauer Strasse, 13355 • 467 98 66-66
www.berliner-mauer-gedenkstaette.de • tlj sauf lun 9h30-19h
(nov-mars 9h-18) • **entrée libre** • **S**-Bahn Nordbahnhof • Tram M10

4. KULTURBRAUEREI

Cette ancienne brasserie de 1878 est l'un des rares bâtiments industriels du XIXe siècle à être aussi bien conservé. Squattée après la chute du Mur, elle a été entièrement restaurée. Aujourd'hui, on y trouve, sur 25 000 m², des salles de cinéma et de concerts, des théâtres, des restaurants, des cafés et des boîtes de nuit (p. 184). La Kulturbrauerei accueille un marché de Noël et des festivals toute l'année.

Le centre d'informations touristiques, ouvert tlj de 11h à 19h, est situé au centre de la cour dans la Kesselhaus (entrée entre les deux statues de bronze).

Schönhauser Allee 36, 10435 • 44 31 51 ou 44 31 52 • http://kulturbrauerei.de
tlj 24h/24 • **U**2 Eberswalder Strasse

5. GETHSEMANEKIRCHE

Nous sommes ici au cœur de la révolution pacifique de l'automne 1989. Cette église fut ouverte nuit et jour aux "manifestations silencieuses" contre le régime. Le premier – et dernier – gouvernement élu démocratiquement en RDA s'est rendu ici en mars 1990 pour une messe symbolique. Ce fut un hommage aux "militants des droits civiques" (*Bürgerrechtler*) du mouvement contestataire.

Stargarder Strasse 77, 10437
445 77 45 • www.gethsemanekirche.de
lun 13h-19h, mar et ven 11h-17h,
mer-jeu 11h-19h (horaires susceptibles de varier), messe dim 11h
S-Bahn Schönhauser Allee
Tram M1, 12

GRA-TUIT

6. MUSÉE DU QUARTIER

Dans cette ancienne école en brique rouge (la mieux conservée de Berlin), on a l'impression que le temps s'est arrêté. On imagine les salles de classe et les élèves courant dans les couloirs avant la guerre. L'exposition permanente (en haut à gauche dans la cour, en venant du boulevard), avec des photos historiques, illustre la métamorphose de Prenzlauer Berg depuis la réunification. Elle retrace également l'histoire de l'école juive, à côté dans la Rykestrasse, fermée par les nazis en 1941.

Museum Pankow • Prenzlauer Allee 227, 10405 • 902 95 39 17
mar-dim 10h-18h • **entrée libre** • Ⓤ2 Senefelder Platz • Tram M2

7. WASSERTURM

L'ancien château d'eau, haut de 40 mètres, est l'un des symboles du quartier. Construit en 1877, il a servi jusqu'en 1915. Peu de Berlinois le savent, mais les nazis ont utilisé le complexe à partir de 1933 comme camp de concentration et de torture (voir la plaque commémorative et le panneau historique). Aujourd'hui, le château d'eau abrite plusieurs appartements. À son pied, un jardin public accueille des aires de jeux pour enfants, des terrains de boules, de basket et des tables de ping-pong.

⋯⟶ *Venez en fin de journée pour voir le coucher du soleil depuis l'esplanade. C'est un espace public.*

Au croisement de Knaackstrasse et de Rykestrasse, 10405
Ⓤ2 Senefelder Platz • Tram M2

8. [KASTANIENALLEE]

La plus ancienne rue du quartier est surnommée aujourd'hui l'"allée du casting" en raison de ses nombreuses boutiques de mode et de ses cafés tendance. Elle commence au niveau de la Zionskirchstrasse avec le Bar 103 et finit au métro Eberswalder Strasse. Les quelques immeubles qui n'ont pas encore été rénovés vous donneront une idée de l'ambiance de la rue à l'époque des squats, dans les années 1990.

Ⓤ2 Eberswalder Strasse • Tram M1, 12

9. HELMHOLTZ-PLATZ

Le quartier est surnommé "LSD" parce que la première lettre des trois rues qui la traversent forme cet acronyme (Lychener, Schliemann et Duncker). Pas de dealers à l'horizon dans cet ancien quartier de squats mais des cafés tendance et des appartements luxueusement rénovés. Andreas Dresen y a tourné l'une des meilleures comédies allemandes de ces dernières années, *Un été à Berlin* (2006). Le coin idéal pour aller boire un verre en fin de soirée.

Ⓤ2 Eberswalder Strasse • Tram M1, 12, M10

KOLLWITZPLATZ

C'est l'une des plus belles places de Berlin avec son square et sa statue réalisée en mémoire de la célèbre sculptrice Käthe Kollwitz. La Kollwitzplatz est le haut lieu des bobos du quartier avec son marché du samedi matin, où l'on voit défiler des personnalités politiques (écolos et de gauche), des médias et des spectacles. L'ambiance reste néanmoins bon enfant. On peut manger d'excellentes saucisses au stand de la boucherie Gerlach.

···⟩ *Prenez la Husemannstrasse à partir de la place. Cette rue a été restaurée en 1987 dans un style fin XIXe par le régime communiste pour fêter les 750 ans de la ville.*

Ⓤ2 Eberswalder Strasse • Tram M2

11. MAUER PARK

L'ancien no man's land du mur de Berlin, appelé aujourd'hui Mauer Park ("parc du Mur"), s'est transformé en rendez-vous nocturne pour la jeunesse berlinoise. On y vient pour un barbecue, une partie de badminton ou pour y faire de la musique. Certains jours, l'ambiance ressemble au festival de Woodstock autour de l'amphithéâtre. Le dimanche, le marché aux puces attire énormément de monde (voir p. 61).

···⟩ *Prenez le tunnel Gleimtunnel, qui passe sous l'ancienne voie ferrée, fermé pendant 28 ans par le Mur.*

Bernauer Strasse/Oderberger Strasse, 10437
ouvert tlj • Ⓤ2 Eberswalder Strasse

12. ZIONSKIRCHPLATZ

Une merveilleuse petite place, très romantique avec ses grands arbres, ses rues et ses allées sinueuses. Son église, un autre haut lieu de la révolution pacifique de 1989, intègre différents éléments de l'architecture romane et gothique.

···⟩ *Rendez-vous aussi sur la place Arkona (puces le dimanche), dont l'atmosphère rappelle celle du Berlin au tournant du XXe siècle.*

Ⓤ8 Bernauer Strasse ou Rosenthaler Platz • Tram 12, M1

13. MÉMORIAL ERNST THÄLMANN

Un mémorial a été construit au centre du parc Ernst Thälmann par le sculpteur soviétique Lew Kerbel en mémoire du chef du parti communiste allemand assassiné par les nazis en août 1944 au camp de Buchenwald. On se rend compte ici à la fois de la dimension des symboles de la propagande communiste et de la politique urbaine de l'Allemagne de l'Est.

···⟩ *À voir aussi : le Zeiss-Grossplanetarium, construit en 1987, qui fut l'un des planétariums les plus modernes d'Europe. On peut s'y rendre à pied en traversant le parc en direction de la Prenzlauer Allee.*

Ernst-Thälmann Park
Tram 10 et M4
Ⓢ-Bahn Greifswalder Strasse

À TABLE !

VERY CHEAP

14. CAFÉ ENTWEDERODER
INTERNATIONAL

C'est le premier café ouvert dans la rue après la chute du Mur. Les artistes de l'ex-RDA qui constituaient la clientèle il y a 20 ans sont encore là, mais beaucoup moins nombreux. Malgré quelques transformations, l'ambiance bohème est restée intacte. Aux beaux jours, venez profiter du lever ou du coucher du soleil depuis la terrasse.

···⟩ *Prenez le petit-déjeuner "EO Special" pour deux ou quatre personnes (13,90/24,90 €), vous aurez l'impression d'avoir déjeuné.*

Oderberger Strasse 15 , 10435 • 448 13 82
tlj 10h-2h • Ⓤ2 Eberswalder Strasse
Tram M1, 12, M10

15. PRATER GASTSTÄTTE
ALLEMAND

C'est l'endroit idéal pour déguster jusqu'à 23h une escalope viennoise (18,50 € mais elle vaut son prix) dans l'ambiance d'une vraie brasserie allemande. Choisissez les spécialités berlinoises comme les *königsberger Klopse* (boulettes de viande) ou les plats avec asperges pendant la saison, au printemps. Le plat principal coûte entre 8,10 € et 18,50 €, mais il suffit pour un repas complet. Le restaurant est le lieu de rendez-vous du théâtre est-berlinois, notamment des comédiens du Volksbühne.

···⟩ *Après 20h, il est souvent difficile de trouver une place.*

Kastanienallee 6, 10435 • 448 56 88
www.pratergarten.de
lun-sam 18h-23h, dim 12h-23h
Ⓤ2 Eberswalder Strasse
Tram M1, 12, M10

16. GUGELHOF
ALSACIEN

On ne va pas dans ce restaurant parce que le chancelier allemand Gerhard Schröder et le président américain Bill Clinton y ont dîné un jour, mais parce qu'il est excellent. L'ambiance est celle d'une vraie brasserie avec un public mélangé (l'aspect quelque peu touristique de l'endroit est trompeur). Le service est impeccable et le rapport qualité/prix imbattable (entrées 4,90-8,80 €, plats 10-20 €).

···⟩ *Réservation indispensable.*

Kollwitzstrasse 59, 10405 • 442 92 29 • www.gugelhof.de • lun-ven à partir de 16h,
sam-dim à partir de 10h (petit-déjeuner jusqu'à 16h) • Ⓤ2 Senefelderplatz

17. GILKA

CUISINE EUROPÉENNE

Le restaurant est situé dans une rue à l'abri de la foule du quartier de la Kollwitzplatz. Dans une ambiance détendue et un peu intello (jeux d'échecs, livres et expositions), Gilka propose une cuisine de très bonne qualité (quiches, pâtes, viandes, poissons). Plats de 8 à 22 €. Le patron se plaît à mettre en avant la provenance régionale de ses produits.

····❯ *Le midi, c'est plus calme et Gilka propose d'excellents plats du jour à 4,90 et à 6,90 €.*

Immanuelkirchstrasse 31, 10405 Berlin • 40 05 62 89 • www.gilka-berlin.de
lun-ven à partir de 11h, sam et dim à partir de 9h (cuisine jusqu'à 23h) • Tram M2, M4

18. WEINSTEIN

CUISINE RÉGIONALE ET INTERNATIONALE

L'endroit à ne pas manquer pour les amateurs de vin. L'adresse est réputée au-delà des frontières de la capitale. C'est l'occasion de déguster d'excellents vins blancs allemands et autrichiens, dans une atmosphère de cellier, avec un service très agréable et sans prétention. Les serveurs se font un plaisir de vous conseiller.

····❯ *En plus de la carte, deux menus sont proposés avec des vins correspondants.*

Lychener Strasse 33, 10437 • 441 18 42
www.weinstein.eu • lun-sam 17h-2h,
dim 18h-2h • ⓤ2 Eberswalder Strasse
Tram M1, M10, 12

19. SCHLAWINER

AUTRICHIEN

Un restaurant petit par sa taille mais grand par ses escalopes ! On peut avoir confiance : le cuisinier est autrichien. Ses escalopes de veau panées sont excellentes et sont servies avec une salade de pommes de terre ou de concombres. L'escalope "originale" (de veau) est à 11,50 € (+2,50 € accompagnement au choix). Pour 8 € (+2,50 € accompagnement au choix), vous aurez la version avec du porc, celle qu'on trouve d'habitude dans les autres établissements.

····❯ *Le ragoût de veau est proposé à 9 €, la soupe du jour à 3 €.*

Hagenauer Strasse 9, 10435 • 44 03 70 59
tlj à partir de 18h • ⓤ2 Eberswalder Strasse
Tram M1, 12, M10

20. LA MUSE GUEULE

BISTROT FRANÇAIS

Ce bistrot français situé en face du cinéma de la Kulturbrauerei draine la clientèle de la séance de 20h. L'ambiance est très détendue et familiale. Après le film, on vient ici pour déguster une avec un grand bouquet de salade verte (5,80 €), suivie d'une crème brûlée (4,80 €). Très bons crémants, vins rouges et rosés.

⋯⋙ *Venir avant la sortie du cinéma, vers 22h, pour trouver une place.*

Sredzkistrasse 14, 10435 • 43 20 65 96
tlj 17h30-2h • Ⓤ2 Eberswalder Strasse
Tram M1, M10

21. VOLAND

RUSSE

L'âme russe du quartier se trouve au Voland, lieu de rendez-vous traditionnel pour tous ceux qui aiment la musique de l'Est. Ce restaurant propose un large choix de plats traditionnels russes et ukrainiens à des prix raisonnables (9-15,80 €). Quand la patronne est de bonne humeur, elle chante sur la scène avec les musiciens.

⋯⋙ *Réservez pour le concert du vendredi ou du samedi soir (4 € par personne en supplément).*

Wichertstrasse 63, 10439
44 40 42 2 • www.voland-cafe.de
à partir de 18h
Ⓤ2 Schönhauser Allee • Tram 12

22. DELIZIE D'ITALIA

ITALIEN

Un p'tit coin d'Italie dans le grand Berlin. Avec ses nappes à carreaux et sa carte en italien, ce restaurant propose d'excellentes pâtes. Prenez des *antipasti* en entrée (une assiette pour deux suffit). Pas de carte de crédit.

⋯⋙ *On dépasse rarement les 25 € par personne avec une entrée et des pâtes, boisson comprise.*

Kollwitzstrasse 100, 10435
48 49 49 77 • www.delizieditalia.de
lun-sam 12h-minuit
Ⓤ2 Eberswalder Strasse
Tram M10, M2

23. NOLA'S

VERY CHIC

SUISSE

Niché en haut de la colline du parc Weinberg, le Nola's est le rendez-vous des Suisses de Berlin. L'été, avec les chaises longues sur la terrasse, on se croirait presque dans les Alpes! La carte, écrite en suisse alémanique, déploie des spécialités helvétiques à des prix raisonnables. Risotto, pâtes ou röstis à partir de 8,50 €.

⋯⋙ *Venir le matin en semaine pour le petit-déjeuner (le week-end, c'est bondé). De 3 € (petit-déjeuner français) à 12 € (petit-déjeuner complet avec un verre de mousseux).*

Veteranenstrasse 9, 10119 • 44 04 07 66 • www.nola.de • tlj 10h-1h
Ⓤ8 Bernauer Strasse ou Rosenthaler Platz • Tram 12, M1

24. KONNOPKE

SNACK

Après une rénovation en 2011, le plus célèbre snack de Currywurst a rouvert sous le métro aérien. Fondé en 1930, il a survécu à toutes les catastrophes. Sous le régime communiste, Konnopke était l'une des rares entreprises privées. Son Currywurst au ketchup, dont la "recette" est tenue secrète, se mange sous la station de métro Eberswalder Strasse à des prix imbattables (saucisse: 1,70 €, avec frites: 3,20 €).

Schönhauser Allee 44b, 10435 • 442 77 65 • www. konnopke-imbiss.de lun-ven 10h-20h, sam 12h-20h • Ⓤ2 Eberswalder Strasse • Tram 12, M1, M10

25. SUPPEN-CULT

SOUPES

L'endroit idéal pour déjeuner sur le pouce. Grande variété de soupes (chaudes l'hiver, froides l'été) et de salades avec des produits garantis bio (3,70-4,80 €). Baguette ou pain complet à volonté. L'endroit est petit, mais on y trouve toujours une place. Tout près de Kollwitzplatz.

Prenzlauer Allee 42, 10405 • 47 37 89 49 www.suppen-cult.de lun-ven 10h-20h, sam 12h-16h • Tram M2 Marienburgerstrasse

26. SASAYA

JAPONAIS

Avec sa carte et son ambiance authentique, certains prétendent que c'est le meilleur japonais de Berlin. Réputé surtout pour ses sushis, le Sasaya a d'autres merveilles à proposer sur ses tables basses, notamment d'excellents plats de poisson. Le service est très agréable et les prix raisonnables (plats 5-25 €).

⋯⋙ *Réservation indispensable le soir.*

Lychener Strasse 50, 10437 • 44717721 tlj sauf mar et mer 12h-14h30 et 18h-22h30 Ⓤ2 Eberswalder Strasse Tram 12, M1, M10

28. FEMMINAMORTA

ITALIEN

L'un des meilleurs italiens du quartier. Avec ses murs d'origine en brique rouge et ses étagères en bois, l'atmosphère est assez chaleureuse. Le restaurant est à l'abri du flot touristique de la Kollwitzplatz. On pourra y déguster des recettes du sud de l'Italie, qui réservent d'agréables surprises au palais, et des pâtes faites maison. La carte des vins éveillera la curiosité des connaisseurs.

Winsstrasse 30, 1040 • 44 35 06 96 • tlj 18h-minuit
Tram M2, M4, M10

27. LPG

SNACK BIO

À midi, le snack du "plus grand supermarché bio d'Europe" (selon le patron) propose des soupes maison, des plats et des salades en libre service à des prix modérés (soupe 3,30 €, plats environ 6 €). Les plats sont préparés exclusivement avec des produits de saison et de la région. Le snack est surtout fréquenté par les bobos du quartier, notamment les mamans avec leur progéniture.

···⁂ Le premier prix indiqué sur la carte s'adresse aux membres. Il faut prendre en compte le deuxième prix.

Kollwitzstrasse 17,
10405 • 322 97 14 00
lun-sam 11h-15h
Ⓤ2 Senefelder Platz

29. GAGARIN

VERY CHEAP

INTERNATIONAL

À recommander pour les petits-déjeuners du dimanche. Le buffet à volonté, composé de petits plats russes avec des blinis, ne coûte que 10 € (6 € à partir de 15h!). La salle est décorée avec des portraits du cosmonaute Youri Gagarine et des documents sur l'aventure spatiale soviétique. Ambiance très détendue et service agréable.

Knaackstrasse 22, 10405 • 442 88 07 • tlj à partir de 9h30,
dim 10h • Ⓤ2 Senefelder Platz • Tram M2

30. I DUE FORNI

ITALIEN

On y va surtout pour les pizzas et pour l'ambiance "fête de l'Humanité". Allez-y plutôt vers 19h. Après, il est difficile de trouver une place et l'attente au bar entre les serveurs qui courent n'est pas franchement agréable. Une fois assis, on a l'impression d'être dans une gigantesque cantine italienne.

Schönhauser Allee 12, 10119 • 44 01 73 33
tlj 12h-minuit • Ⓤ2 Senefelder Platz

31. NOCTI VAGUS

RESTAURANT DANS LE NOIR

Le Dunkelrestaurant Nocti Vagus est plongé dans le noir le plus total. Tous nos sens sont en éveil, sauf la vue naturellement. Nous sommes servis par des aveugles qui prennent leur temps pour nous expliquer un monde sans lumière. On choisit son menu à l'entrée, la seule pièce éclairée du restaurant (menus 3 plats 39 € lun et mar, de 59 à 69 € les autres jours). Chacun en ressort avec une expérience différente.

···》 *Réserver au moins trois jours à l'avance.*

Saarbrückerstrasse 36-38,
10405 • 74 74 91 23
www.noctivagus.de
tlj 18h-1h
Ⓤ2 Senefelderplatz

32. WHITE TRASH FAST FOOD

FAST-FOOD

Amateurs d'ambiances bruyantes et chaotiques, cet endroit est fait pour vous ! Mieux vaut réserver pour trouver une place assise avant les concerts – punk-rock – dans cet ancien pub irlandais. On peut y manger de bons steaks importés spécialement des États-Unis ou encore des fondues au fromage. Le public est très international. Voir aussi p. 189.

Schönhauser Allee 6-7, 10119 • 50 34 86 68 • www.whitetrashfastfood.com
tlj à partir de 16h • Ⓤ2 Senefelder Platz

33. GORKI PARK

CAFÉ RUSSE

Avant de "monter" vers Prenzlauer Berg pour y finir la soirée, on peut commencer par un arrêt dans ce café à l'atmosphère très post-soviétique pour y boire quelques vodkas sur de petites spécialités russes.

Weinbergsweg 25, 10119 • 448 72 86
www.gorki-park.de • lun-dim 9h30-2h
Ⓤ8 Rosenthaler Platz • Tram M1, 12

34. SCHWARZSAUER

CAFÉ

Si vous avez encore envie d'un verre alors que le soleil est déjà levé, le Schwarzsauer est l'endroit idéal. On peut regarder son voisin sans avoir besoin de parler. C'est encore ouvert au petit matin et, surtout, il y a encore du monde ! Apparu en 1993, lorsque cette rue était encore vide de monde, l'endroit fait toujours partie du "mythe" de Prenzlauer Berg. Le café est toujours l'un des plus branchés du quartier.

••••⟩ *Le petit-déjeuner est servi jusqu'à 17h.*

Kastanienallee 13/14, 10435 • 448 56 33
www.schwarzsauer.com
tlj 9h-6h • Ⓤ2 Eberswalderstrasse
Tram M1, 12, M10

35. JARDIN D'ÉTÉ DU PFEFFERBERG
VERY CHIC

BIERGARTEN

Les grands arbres du jardin d'été ont été épargnés par la rénovation complète de cet ancien centre culturel underground de Prenzlauer Berg. L'endroit, avec différents cafés et restaurants, a beaucoup perdu de son charme mais reste très agréable. On accède à la terrasse par un grand escalier en pierre. En haut, la vue donne sur toute la place.

••••⟩ *Accédez au jardin par la place Teutoburger pour visiter les cours et les bâtiments de cette ancienne brasserie.*

Schönhauser Allee 176, 10119
Ⓤ2 Senefelder Platz

36.

36. PRATER GARTEN

BIERGARTEN

Situé à côté du restaurant du même nom (voir p. 48), le jardin du Prater est ouvert pendant la belle saison comme *biergarten* (brasserie en plein air) avec plus de 600 places assises. On y prend une bière à emporter sous les châtaigniers et pourquoi pas une saucisse glissée dans un petit pain (3 €). Ce lieu traditionnel existe depuis 1837 et a survécu au régime communiste.

Kastanienallee 6, 10435
448 56 88
www.pratergarten.de
avr-sept tlj à partir de 12h
Ⓤ2 Eberswalder Strasse
Tram M1, M10

37. WOHNZIMMER

BAR

Si vous êtes épuisé par une longue balade, cet endroit peut s'avérer un véritable piège. Les fauteuils et les sofas du Wohnzimmer ("salon" en allemand) sont tellement confortables qu'on risque de tomber directement dans les bras de Morphée !

⋯⋙ *Le petit-déjeuner végétarien est servi jusqu'à 16h (4,50-6 €).*

Lettestrasse 6, 10437
445 54 58 • www.
wohnzimmer-bar.de
tlj 9h-4h
Ⓤ2 Eberswalder Strasse
Tram M1, 12, M10

38. MARIETTA

BAR

Dans un style rétro des années 1950, le Marietta attire un public très hétéroclite. On peut lire son journal tranquillement l'après-midi autour d'une bière, assis sur un banc à l'extérieur, manger une part de gâteau avec un café vers 17h ou bien venir tard le soir pour se détendre avec quelques cocktails dans une ambiance tendance.

⋯⋙ *Rendez-vous gay le mercredi soir (hétérofriendly).*

Stargarder Strasse 13,
10437 • 43 72 06 46
www.marietta-bar.de
tlj à partir de 15h
Ⓢ-Bahn Schönhauser Allee
Tram M1, 12

40.

VERY CHEAP

39. LUXUS

BAR

L'endroit est petit, mais il est toujours bondé, et ce jusqu'à très tard dans la nuit. L'adresse, confidentielle, attire les comédiens connus du quartier qui osent se donner rendez-vous ici pour prendre un verre sans être dérangés. C'est l'un des rares endroits ou l'on peut encore fumer dans le quartier. Et sans retenue. Cocktails à partir de 4,50 €.

Prenzlauer Allee 179, 10409 • tlj à partir de 20h
Ⓤ2 Senefelder Platz • Tram M2

40. SOWOHL ALS AUCH

VERY CHIC

CAFÉ

C'est l'adresse la plus réputée du quartier pour ses gâteaux faits maison. Idéal pour boire un chocolat l'après-midi avec une part de tarte (énorme !). C'est sans doute le café le plus "parisien" de la place avec ses banquettes rouges et ses petites tables près des baies vitrées. Le soir, c'est beaucoup plus tranquille. Idéal pour ceux qui veulent fuir l'agitation.

⤳ *On peut aussi aller boire un verre en face, sur les sofas du "café-fleuriste" Anna Blume. C'est la même famille !*

Kollwitzstrasse 88, 10435 • 442 93 11 • tlj 8h-2h
Ⓤ2 Senefelderplatz • Tram M2, M10

41. KOHLENQUELLE

CAFÉ

C'est le genre de café où l'on peut lire *Guerre et Paix* en ne buvant qu'une limonade dans la journée (2,20 €). N'attendez pas qu'on vous serve, c'est en libre-service dans cette ancienne boutique tenue par un marchand de charbon (*Kohle*, charbon en allemand). Le soir, loin de l'agitation des boulevards, l'ambiance est celle d'un café-bar familial avec babyfoot en sous-sol. Le trottoir gigantesque sert de terrasse dès que des rayons de soleil apparaissent (même l'hiver !).

⤳ *Billard et ping-pong dans les sous-sols. Le mercredi, on y danse avec une entrée à généralement 3 €.*

Kopenhagener Strasse 16, 10437
lun-ven à partir de 9h,
sam-dim à partir de 10h
Ⓢ-Bahn Schönhauser Allee
Tram M1

42. DR. PONG

BAR

Dans un décor de garage désaffecté de banlieue, on fait des parties de ping-pong avec une bière à la main. On peut voir des parties entières sur YouTube! Dr. Pong est l'un des endroits mythiques du quartier. Ceux qui s'ennuient dans les lieux tendance peuvent faire un tour là-bas pour retrouver l'atmosphère des bars illégaux des années 1990. Jusqu'au petit jour.

···⟩ *Le public est assez jeune, mais, comme partout ailleurs à Berlin, cela n'empêche pas les plus âgés de s'y rendre.*

Eberswalder Strasse 21, 10435
www.drpong.net
lun-sam à partir de 19h,
Ⓤ2 Eberswalder Strasse
Tram M1, M10, 12

43. BECKETTS KOPF

BAR À COCKTAILS

En attendant Godot, vous pouvez venir déguster un cocktail dans cet établissement traditionnel avec fauteuils en cuir, lumière tamisée et service impeccable. Le portrait de l'écrivain irlandais trône à l'entrée. Les prix tournent autour de 10 € le cocktail. Grand choix de whiskys (de 4,90 à 15,30 € pour 2 cl). Réservation préférable le week-end, car l'endroit n'est pas grand et il est très couru. Salle fumeur.

···⟩ *Les cartes de crédit ne sont pas acceptées, comme souvent à Berlin !*

Pappelallee 64, 10437
0162 237 94 18
www.becketts-kopf.de
tlj à partir de 20h
Ⓤ2 Eberswalder Strasse
Tram M1, 12, M10

44. BAR 103

VERY CHIC

BAR

C'est le café-bar idéal pour ceux qui veulent se montrer ou être vus. Les acteurs berlinois les plus en vogue viennent ici. Le Bar 103 est le café le plus tendance de Kastanien Allee, l'"allée du casting", surnom de cette rue de la mode berlinoise indépendante.

Kastanienallee 49,
10119 • 48 49 26 51
lun-ven 9h-3h,
sam-dim 10h-3h
Ⓤ8 Rosenthaler
Platz • Tram 12, M1
Bus de nuit N8

45. MAUERSEGLER

CAFÉ

Pour finir la soirée au vert avec une bière et une saucisse, rien de mieux que cette petite oasis de verdure située sur la frontière de l'ancien Mur dans le Mauer Park. Au stand barbecue, toute la soirée, diverses grillades sont proposées. Les prix sont corrects : soft drink à partir de 1,30 €, bière 33 cl 2,10 €, verre de vin 20 cl 2 € (mais ce n'est pas du grand cru !).

··· *"Mauersegler" signifie martinet.*

Bernauer Strasse 63/64, 13355 • 97 88 09 04
mai-oct tlj 10h-2h
Ⓤ2 Eberswalder Strasse
Tram M1, 12, M10

46. VISITE MA TENTE

BAR

Ici, tout dépend du style de clients. L'ambiance peut changer à tout moment dans ce – très – petit bar français de Prenzlauer Berg. Surtout quand le patron débarque avec ses invités. Les clients y ont dansé plus d'une fois sur les tables et sur le comptoir. Bonne sélection de vins. Le bar se vante par ailleurs d'être le plus grand débit de Kronenbourg à Berlin.

··· *Pour ceux qui ont encore un creux, on y sert – et ce jusqu'à très tard – d'excellentes assiettes de fromages et de charcuterie (6/10 €).*

Christinenstrasse 24, 10119 • 44 32 31 66
tlj à partir de 18h • Ⓤ2 Senefelderplatz
Bus de nuit N2

47. HALIFLOR

BAR

Dans la pléthore des nouveaux bars et cafés du quartier, le Haliflor reste une oasis de tranquillité. Pas étonnant que les artistes préfèrent se rencontrer ici pour y boire une bière ou un café au lait. D'autant plus que les prix sont raisonnables. Le lieu reste quand même très tendance.

Schwedter Strasse 26, 10119 • 54 71 33 11
tlj 10h-2h • Ⓤ8 Rosenthaler Platz
Tram 12, M1 • Bus de nuit N8

48. CAFÉ MORGENROT

BAR COLLECTIF

Le "Morgenrot" (en français, l'aurore) est le café de tous les anciens squatteurs de la Kastanienallee. Il demeure un lieu de discussions culturelles et politiques, clairement affiché à gauche, et ses clients militent toujours contre l'extrême droite et les discriminations en tous genres. Dans ce bar bigarré et "collectivement géré", on trouve des journaux (de gauche), un baby-foot, un accès Wi-Fi gratuit et quelques paumés. Un désordre organisé où l'ambiance est bon enfant.

Kastanienallee 85, 10435
44 31 78 44
www.cafe-morgenrot.de
tlj sauf le lundi de 12h à 1h
(ven, sam jusqu'à 3h)
Ⓤ2 Eberswalder Strasse
Tram M1, 12, M10

49. NEMO

BAR

Ici, les serveurs ne vous mettront pas dehors au milieu de la nuit. Au café Nemo, le temps s'est arrêté. Du coup, ne vous effrayez pas si vous sortez à 7h du matin. Le public est hétéroclite et de tout âge, l'ambiance bon enfant. Le décor est celui d'une auberge mexicaine aux murs décorés de grandes fresques réalisées par un dessinateur de presse renommé de Berlin.

⟶ *Billard et baby-foot dans la salle du fond. Posez une pièce de monnaie sur le bord de la table pour demander votre tour (ça peut durer !). On pourra vous demander de faire équipe.*

Oderberger Strasse 46, 10435
448 19 59 • tlj à partir de 18h
Ⓤ2 Eberswalder Strasse
Tram M1, 12, M10

50. TAUSCHE

SACS À MAIN

On ne peut pas trouver de sac à main plus tendance. Il y en a à tous les prix (à partir de 39 €) et sous toutes les coutures. Fabriqués dans un atelier à Dresde, tous les sacs sont en polyester. Pour changer de style, on a inventé le rabat interchangeable : deux rabats pour chaque sac acheté. Rien ne vous interdit d'en acheter cinq autres pour chaque jour de la semaine !

Raumerstrasse 8 (Helmholtzplatz), 10437 • 40 30 17 70 • www.tausche.de
lun-ven 10h-20h, sam 10h-18h • Ⓤ2 Eberswalderstrasse • Tram 12

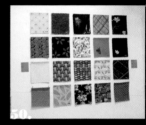

51. CREME FRESH

MODE MULTIMARQUE

Cette boutique offre une sélection intéressante de vêtements pour hommes et femmes, de chaussures et d'accessoires à des prix abordables. On y trouve des marques comme Revolution, Gsus, St Martins, Fornarina ou MeltinPot. Pour les chaussures : Vagabond, Buffalo et KMB.

Kastanienallee 21, 10435
48 62 58 27 • lun-sam 11h-20h
Ⓤ2 Eberswalder Strasse
Tram M1, 12

52. DA CAPO

DISQUES VINYLES

Parmi les derniers disquaires ayant survécu au digital, Da Capo propose une grande collection de vinyles rares de jazz moderne, soul, funk, reggae, musique du monde, rock des années 1960-1970, punk, mais aussi quelques disques de classique. Si vous voulez écouter de la pop d'ex-Allemagne de l'Est, c'est le bon endroit.

Kastanienallee 96, 10435 • 448 17 71
www.da-capo-vinyl.de
mar-ven 11h-19h, sam 12h-18h
Ⓤ2 Eberswalder Strasse • Tram M1

53. KOLLWITZPLATZ

MARCHÉ

À côté des marchands de fruits et légumes, on trouve sur ce marché très chic une multitude de petits stands d'artisans. Les prix sont plutôt élevés pour Berlin, mais les produits sont originaux. C'est l'occasion de faire du shopping en même temps dans la kyrielle de petites boutiques de la place.

Kollwitzplatz • sam 9h-16h
Ⓤ2 Senefelderplatz

54. MAUERPARK

VERY CHEAP

MARCHÉ AUX PUCES

Voilà de vraies puces comme on n'en fait plus. C'est bruyant, bourré de monde et on y trouve de tout ! La musique est tellement forte (des groupes jouent parfois en live) qu'on se croirait dans une fête foraine. On ressort toujours de ce formidable vide-greniers avec un livre à 1 €, un bibelot à 2 € ou une lampe de grand-mère à 10 €.

⋯⟶ *Le dimanche, un grand karaoké est organisé dans l'amphithéâtre du Mauerpark.*

Flohmarkt am Mauerpark • Bernauer Strasse 63, 13355 • www.mauerparkmarkt.de
dim 7h-17h • Ⓤ2 Eberswalder Strasse • Tram M10 (station Wolliner Strasse)

55. ONKEL PHILIPP'S SPIELZEUGWERKSTATT

JOUETS

Respectons les jouets ! C'est le message de l'oncle Philipp qui répare, achète, vend, prête, modifie ou recycle soigneusement les jouets de tous les enfants du quartier (et il y a en beaucoup à Prenzlauer Berg!). "Il ne faut jamais jeter un jouet dans une poubelle", dit-il. On trouve aussi du neuf dans cette boutique.

⋯⟶ *Dans une pièce, l'oncle Philipp a exposé les jouets des enfants de l'ancienne Allemagne de l'Est.*

Choriner Str. 35, 10435
44 01 74 33
www.onkel-philipp.de
mar, mer, ven 9h30-18h30, jeu 11h-20h,
sam 11h-16h
Ⓤ2 Senefelderplatz • Tram M1

56. MÄNNERGIFT

CADEAUX

Il n'est jamais facile de trouver un cadeau pour un homme. Dans cette boutique, il n'y a que des produits qui s'adressent à la gente masculine. Et pas seulement des préservatifs! On trouve tout ce dont l'homme a besoin pour être heureux: du couteau de cuisine japonais (version professionnelle évidemment!) au décanteur à vin, en passant par des ustensiles de barbecue, des serviettes de bain et des stylos.

Schönhauser Allee 66/67, 10437
56 73 92 62 • www.maennergift.de
lun-sam 11h-17h • Ⓤ2 et Ⓢ-Bahn
Schönhauser Allee

57. VEB ORANGE

RELIQUES DE LA RDA

Sur 50 m², c'est le paradis perdu de l'ancienne Allemagne de l'Est. Tous les objets du quotidien des anciens Allemands de l'Est sont là, du cendrier à la boîte d'allumettes, en passant par la lampe de cuisine aux chaises de jardin en plastique. La boutique vaut le détour rien que pour l'atmosphère nostalgique ("Ostalgique", disent les Allemands). Pourquoi ne pas emporter un petit souvenir venu d'un pays qui n'existe plus ?

Oderberger Strasse 29, 10435 • 97 88 68 86 • lun-sam 11h-20h
Ⓤ2 Eberswalder Strasse • Tram M1, 12, M10

58. LUXUS INTER-NATIONAL

GADGETS

Une petite boutique remplie de très bonnes idées. Nulle part à Berlin on ne trouve autant de création sur une si petite surface ! Les designers de Berlin présentent ici leurs produits au public et les vendent à des prix abordables. T-shirts et cartes postales, sacs à main, cendriers ou lampes... on trouve de tout et ça change tout le temps.

Kastanienallee 101, 10435
44324877 • www.luxus-international.de • lun-ven
11h-20h, sam 13h-19h
Ⓤ2 Eberswalder Strasse
Tram M1, 12, M10

59. SCUDERI

VERY CHIC

BIJOUTERIE

On voit l'atelier derrière. La boutique est devant, comme au bon vieux temps. Les deux femmes qui travaillent ici réalisent elles-mêmes leurs bijoux, des plus trash aux plus austères. Faites main, ces pièces uniques sont accessibles à partir de 100 €.

Wörther Strasse 32, 10405 • 47 37 42 40
www.scuderi-schmuck.de • lun-ven 11h-19h,
sam 11h-16h • Ⓤ2 Senefelderplatz • Tram M2

60. LOVELY DRESS

MODE FEMMES

Une très belle petite boutique pour dames. De la rue, elle ne paie pas de mine. À l'intérieur, en revanche, on est agréablement surpris par la qualité et le goût des collections au style scandinave. Les prix restent abordables. Les femmes du quartier viennent y faire leurs emplettes vestimentaires après le marché bio du samedi matin (voir Kollwitzplatz, p. 47).

Kollwitzstrasse 56, 10405 • 81 61 49 14
lun-ven 12h-19h, sam 11h-19h
Ⓤ2 Senefelderplatz • Tram M2

61. BESSERDRESSER

MODE FEMMES

On en ressort rarement les mains vides. On prend son temps. Les hommes peuvent attendre dehors sur le banc placé devant la boutique. Sur le comptoir sont présentés des bijoux fantaisie de quelques jeunes créatrices berlinoises. Sans dépenser des fortunes, on peut aussi acheter les créations de la maison, de jolies robes aux couleurs vives.

⇢ *Besserdresser fait des retouches sur mesure et peut livrer à l'étranger.*

Kollwitzstrasse 72, 10435 • 34 62 18 15 • www.besserdresser.de
lun-sam 12h-18h30 • Ⓤ2 Eberswalder Strasse

62. WERTVOLL

COMMERCE ÉQUITABLE

Voici une boutique de vêtements typique de ce quartier bobo, qui vaut à elle seule le déplacement. Les deux designers, deux femmes, sont pleines de bonnes intentions. Elles tentent de convaincre leur clientèle de consommer en respectant l'homme et la nature. Évidemment, le commerce à la fois écologique et équitable a son prix. À 26 € la paire de chaussettes, on risque au moins de faire attention à la température du lavage !

Marienburger Strasse 39, 10405
25 56 77 26 • www.wertvoll-berlin.com
lun-ven 10h-20h, sam 10h-18h
Ⓤ2 Senefelderplatz
Tram M2

63. DR. KOCHAN SCHNAPSKULTUR

SCHNAPS

Le "docteur Kochan" vous propose des schnaps – notamment allemands – choisis pour leurs qualités. On peut goûter certains d'entre eux dans de très beaux verres qui dégagent tous l'arôme des eaux-de-vie. La boutique propose également un tas d'accessoires. Le docteur s'y connaît, vous conseille et il est très sympathique.

Immanuelkircherstrasse 4, 10405
34 62 40 76
www.schnapskultur.de
lun-ven 12h-20h, sam 11h-17h
Ⓤ2 Senefelderplatz, Tram M2

MITTE-
Alexander Platz

NOSTALGIES COMMUNISTES

Le quartier a été façonné par quarante années de communisme et en a gardé les traces, notamment architecturales. L'Alexander Platz, grand espace du rêve socialiste, incarne à la fois l'apogée et l'effondrement du système. Elle fut en effet le témoin de la "révolution pacifique" et de la grande manifestation du 4 novembre 1989 qui sonna la fin du régime, lorsque les Allemands de l'Est y scandaient "Le peuple, c'est nous!". La Karl-Marx-Allee, boulevard du socialisme triomphant, a gardé son authenticité et le Nikolaiviertel, quartier médiéval reconstruit dans les années 1980, n'a pas perdu son charme de "Disneyland est-allemand".

···∴ REPÈRES

LE QUARTIER POPULAIRE : Alexander Platz
LE QUARTIER TOURISTIQUE : Nikolaiviertel
LE QUARTIER HISTORIQUE : Fischerinsel

☞ ESSENTIELS

L'ALEXANDER PLATZ/☉1 : pour mesurer la dimension de la ville sur les traces du communisme est-allemand (détails p. 67).
LA TOUR DE TÉLÉVISION/🍴16 : c'est le meilleur endroit pour voir Berlin de haut avec son restaurant panoramique tournant (détails p. 68).
LE NIKOLAIVIERTEL/☉7 : ce quartier médiéval a été reconstruit à l'identique par le régime communiste pour s'ouvrir au tourisme (détails p. 69).
LE MÄRKISCHES MUSEUM/☉9 : le meilleur moyen de s'informer sur l'histoire de la capitale des origines à nos jours (détails p. 69).

🔒 *Confidentiels*

LA KARL-MARX-ALLEE/☉5 : le boulevard a gardé une authenticité qui mérite une grande balade sur ses larges trottoirs (détails p. 68).
LE CLOÎTRE FRANCISCAIN/☉21 : une ruine médiévale sauvée des folies urbanistiques du régime communiste (Ⓤ2 Kloster Strasse).
LE MUSÉE DE LA RDA/☉6 : le meilleur moyen de s'imaginer comment vivaient les Allemands de l'Est et comment ils étaient surveillés avant la chute du Mur (détails p. 69).
LE WEEK-END CLUB/🍴18 ET ☾N13 : la boîte de nuit installée au dernier étage de l'immeuble de l'ancienne agence de voyage est-allemande est l'endroit idéal pour voir Berlin de haut (détails p. 73 et p. 185).

65

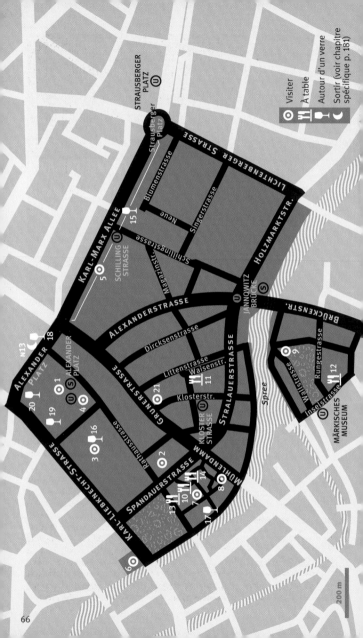

STRAUSBERGER PLATZ Ⓤ

Visiter ⊙
À table 🍴
Autour d'un verre 🍷
Sortir (voir chapitre spécifique p. 181) 🌙

LICHTENBERGER STRASSE

Strausberger Platz

Blumenstrasse

Singerstrasse

HOLZMARKTSTR.

Neue

15

KARL-MARX ALLEE

SCHILLING STRASSE Ⓤ

Schillingstrasse

5 ⊙

Magazinstr.

ALEXANDERSTRASSE

JANNOWITZ BRÜCKE Ⓤ Ⓢ

BRÜCKENSTR.

Dircksenstrasse

STRALAUERSTRASSE

Rungestrasse

N13 ⊙

18 🍷

ALEXANDER PLATZ

ALEXANDER PLATZ Ⓢ Ⓤ

1 ⊙

20 🍷

19 🍷

4 ⊙

GRUNERSTRASSE

Litenstrasse

Walsenstr.

11 🍴

21 ⊙

Klosterstr.

KLOSTER STRASSE Ⓤ

Wallstrasse

9 ⊙

Inselstrasse

12 🍴

MÄRKISCHES MUSEUM

Spree

3 ⊙ 🍷

16 🍷

Rathausstrasse

2 ⊙

MÜHLENDAMM

KARL-LIEBKNECHT-STRASSE

SPANDAUERSTRASSE

13 🍴

10 🍴

7 🍴

14 🍴

8 ⊙

17 🍷

6 ⊙

200 m

66

VISITER

Dès les premiers pas le long de la Karl-Marx-Allee, l'ancien "boulevard Staline", on replonge dans l'atmosphère du Berlin communiste. Le temps s'est arrêté ici avec ses immeubles et ses monuments à la gloire du socialisme. Un saut en haut de la tour de télévision nous permet néanmoins de nous rendre compte des bouleversements à l'est de la ville.

1. ALEXANDER PLATZ

Berlin a toujours eu plusieurs centres-villes. Pour les habitants de l'Est, Alexander Platz est le centre de Berlin. Plus de 300 000 personnes traversent la place chaque jour. Cet ancien quartier de grands magasins fut entièrement détruit pendant la guerre, puis reconstruit dans les années 1960. Vitrine de l'architecture communiste, elle fut le théâtre de la gigantesque manifestation du 4 novembre 1989 qui – ironie de l'histoire – sonna la fin du régime. Le projet d'un grand quartier d'affaires au nord n'a toujours pas vu le jour, faute d'investisseurs.

···⟩ *À l'est, la maison de l'enseignement (Haus des Lehrers) affiche une frise en mosaïque caractéristique du réalisme socialiste des années 1960.*

Ⓤ2, Ⓤ5, Ⓤ8 et Ⓢ-Bahn Alexander Platz

2. ROTES RATHAUS

La "mairie rouge" est ainsi nommée pour la couleur de ses briques et non pour des raisons politiques. Le bâtiment construit au XIXe siècle abrite depuis 1991 le gouvernement réunifié de Berlin (Sénat), ainsi que son bourgmestre (maire). Pendant la division, l'hôtel de ville de Berlin-Ouest se trouvait à Schöneberg. En face, les fontaines de Neptune (Neptunbrunnen) sont installées depuis 1969 et l'église Marienkirche érigée en 1270 est ouverte au public de 10h à 21h (jusqu'à 18h l'hiver).

···⟩ *Le mémorial Marx-Engels-Forum, construit par l'Allemagne de l'Est en 1986, a été déplacé temporairement vers le nord de la place en raison des travaux du nouveau métro reliant la chancellerie à Alexander Platz.*

Ⓤ2 Kloterstrasse

67

4. WELTZEITUHR

Il y a toujours du monde qui attend sous la "Weltzeituhr". Pas étonnant, l'horloge universelle avec ses 24 fuseaux horaires est le lieu de rendez-vous le plus connu des Berlinois. Inaugurée en 1969, elle fut sans doute la réalisation technique la plus inutile de l'ex-RDA. En effet, les Allemands de l'Est se moquaient bien de savoir l'heure qu'il était à Cuba alors qu'ils n'étaient pas autorisés à voyager... Elle fut rénovée en 1997 et l'on y ajouta une vingtaine de nouvelles villes, notamment celles des anciens pays ennemis du socialisme. On rebaptisa Leningrad en Saint-Pétersbourg.

Ⓤ2, Ⓤ5, Ⓤ8 et Ⓢ-Bahn Alexander Platz

3. TOUR DE TÉLÉVISION

Avec ses 368 mètres, elle fut la fierté du régime est-allemand. La tour de télévision est aujourd'hui le symbole de toute la ville à l'instar de la tour Eiffel à Paris. Édifiée par les communistes entre 1965 et 1969 pour démontrer la supériorité technologique du socialisme, elle est surnommée aujourd'hui l'"asperge" (*Telespargel*). Il est préférable de s'y rendre par beau temps en dehors des heures de grande affluence.

Fernsehturm
Panoramastrasse 1A, 10178
24 75 75 0 • www.tv-turn.de
entrée 12 € • tlj 9h-minuit
(10h-minuit nov-fév)
Ⓤ2, Ⓤ5, Ⓤ8 et Ⓢ-Bahn
Alexander Platz

5. KARL-MARX-ALLEE

L'ancien grand boulevard de Berlin-Est symbolisait autrefois la réussite du socialisme. Les plus méritants du régime avaient le droit de résider dans ces immeubles prestigieux, modernes et couverts de marbre. Les nombreuses façades de l'ancien "boulevard Staline" (rebaptisé en une nuit Karl-Marx-Allee) sont aujourd'hui des monuments historiques, uniques vestiges de l'architecture néoclassique stalinienne des années 1950. Le boulevard a conservé cette atmosphère d'empire déchu d'avant la chute du Mur.

·····⫸ *Faire une balade vers l'Est à partir de la station de métro Strausberger Platz.*

Ⓤ5 Strausberger Platz

6. MUSÉE DE LA RDA

Pour se faire une idée de la vie quotidienne pendant le régime est-allemand, rien ne vaut un détour au DDR-Museum, juste en face de la cathédrale (Berliner Dom). Le musée ne se veut pas historique mais "populaire". Grâce à des expositions interactives, on y découvre les méthodes de surveillance de la population, les intérieurs des grands ensembles préfabriqués (HLM) avec toutes sortes d'objets authentiques. On peut aussi s'installer au volant d'une Trabant, cette voiture en carton-pâte fabriquée en Allemagne de l'Est.

DDR-Museum • Karl-Liebknecht-Strasse 1, 10178
8471237-31 • www.ddr-museum.de • tlj 10h-20h
(sam 10h-22h) • **tarif plein/réduit 6/4 €**
Ⓤ2, Ⓤ5, Ⓤ8 et Ⓢ-Bahn Alexander Platz

7. NIKOLAIVIERTEL

Décrit par certains comme le "Disneyland" de Berlin, le quartier médiéval de Saint-Nicolas a néanmoins un grand intérêt historique. En effet, il a été entièrement reconstruit par le régime communiste dans les années 1980 pour célébrer le 750e anniversaire de la ville en 1987. Il marque un tournant dans la politique de destruction urbanistique massive à Berlin-Est. Cette oasis touristique reste très fréquentée, car elle offre une multitude de restaurants et de cafés au bord de la Spree dans une agréable atmosphère de vacances.

Ⓤ2 Kloster Strasse

8. PALAIS EPHRAÏM

Le somptueux palais Ephraïm fait partie de ces bâtiments du Nikolaiviertel reconstruits à l'identique dans les années 1980. Démonté en 1935 pour l'élargissement du boulevard Mühlendamm, ce joyau de l'architecture rococo (XVIIIe siècle) fut reconstruit en 1985 à 12 mètres de son emplacement d'origine et à partir des 2 000 pièces entreposées à Berlin-Ouest. Le régime communiste dut les négocier en cédant à l'Ouest les archives de la manufacture royale de porcelaine de Berlin (KPM). Le palais Ephraïm accueille des expositions temporaires sur Berlin.

···❯ *L'entrée est gratuite le premier mercredi du mois.*
Ephraïm-Palais • Poststrasse 16, 10178 • 24 00 2162
www.stadtmuseum.de • mar-dim 10h-18h
tarif plein/réduit 6/4 € selon les expositions
gratuit -18 ans (photos 2 à 4 € supp)
Ⓤ2, Ⓤ5, Ⓤ8 et Ⓢ-Bahn Alexander Platz

9. MÄRKISCHES MUSEUM

Situé au cœur du quartier historique d'un ancien port, le Fischerinsel (pratiquement disparu sous les bombes de la guerre et les pelleteuses est-allemandes), le musée de la Marche de Brandebourg est consacré à l'histoire de Berlin depuis la préhistoire jusqu'à nos jours. Le bâtiment ressemble à une église, mais il a été construit dès l'origine, entre 1899 et 1908, pour servir de musée. Il vaut vraiment le détour si l'on s'intéresse à l'histoire chaotique de cette ville en "perpétuel devenir". Dans le jardin, on peut voir deux ours dans un enclos.

···❯ *L'entrée est gratuite le premier mercredi du mois.*
Am Köllnischen Park 5,
10179 • 24 00 2162
www.stadtmuseum.de
mar-dim 10h-18h
tarif plein/réduit 5/3 €,
gratuit -18 ans
(photos 2 € supp)
Ⓤ2 Märkisches Museum

À TABLE !

VERY CHIC

10. ZUR GERICHTSLAUBE

ALLEMAND

Si vous tenez absolument à déjeuner ou à dîner dans ce quartier exclusivement touristique, vous pouvez vous rendre dans cette taverne rustique reconstruite à l'identique par le régime communiste en 1987. La cuisine est typiquement berlinoise et sans prétention. On y mange correctement et à des prix raisonnables.

⋯⋗ *Les menus proposés avec boisson vont de 16,50 à 22,50 € selon le nombre de plats.*

Poststrasse 28, 10178 • 241 56 97
www.gerichtslaube.de • tlj à partir
de 11h30 • Ⓤ2 Klosterstrasse

11. ZUR LETZTEN INSTANZ

ALLEMAND

La plus ancienne taverne de Berlin (fréquentée en son temps par Napoléon), située dans le quartier médiéval, loin du tumulte d'Alexander Platz, attire une clientèle majoritairement internationale. Les plats (entre 10 et 17 €) empruntent des termes juridiques : "interrogatoire" (foie de veau), "pièce à conviction" (paupiettes) ou "plaidoyer" (poitrine de porc). Quand il y a du monde, une deuxième salle est ouverte à l'étage, à laquelle on accède par un escalier en colimaçon.

Waisenstrasse 14, 10179 • 242 55 28
www.zurletzteninstanz.de • lun-sam 12h-1h
Ⓤ2 Klosterstrasse

12. SUPPENGRÜN
SNACK

Suppengrün est l'endroit idéal pour déjeuner sur le pouce dans ce quartier un peu excentré. Dans un décor très stylé, les clients mangent debout autour de petites tables. On peut choisir entre une grande variété de soupes chaudes ou froides (4,50-4,80 €) et des salades (moins de 5 €) faites maison et préparées avec des produits frais. Le snack est fréquenté par la clientèle des bureaux du quartier.

Inselstrasse 1a, 10179
24 78 13 90
lun-ven 11h-18h
Ⓤ2 Märkisches Museum

13. REINHARD'S
ALLEMAND

Aux murs, les portraits des légendes du cinéma américain des années d'avant guerre donnent une touche glamour à ce restaurant à l'atmosphère rétro très parisienne, avec ses banquettes en cuir rouge-bordeaux. La clientèle de ce restaurant situé dans le quartier médiéval de Nikolaiviertel est principalement constituée de touristes. Étant la meilleure adresse du quartier, on y trouve aussi une clientèle d'affaires. Plats entre 12,50 € (gratin de ratatouille) et 22,40 € (steak avec une sauce dont la maison garde le secret).

···⟩ *La cuisine est ouverte jusqu'à minuit.*

Poststrasse 28, 10178 • 242 52 95
www.reinhards.de • tlj à partir de 9h,
biergarten à partir de 11h • Ⓤ2, Ⓤ5, Ⓤ8
et Ⓢ-Bahn Alexander Platz

14. ZUM NUSSBAUM
BERLINOIS

Rustique, cette taverne est typiquement berlinoise avec ses photos et ses proverbes d'autrefois affichés sur les murs. Elle a été entièrement reconstruite dans les années 1980 et accueille principalement par les touristes du Nikolaiviertel. Il ne faut pas s'attendre à des plats de haute volée mais plutôt à une cuisine familiale et locale.

···⟩ *Les prix sont raisonnables et l'ambiance agréable… une fois qu'on a trouvé une place assise.*

Am Nussbaum 3, 10178 • 242 30 95 • tlj à partir de midi
Ⓤ2, Ⓤ5, Ⓤ8 et Ⓢ-Bahn Alexander Platz

AUTOUR D'UN VERRE...

15.

16.

15. KOSMETIKSALON BABETTE

BAR

Allons boire une bière dans la caisse en verre! Voilà comment les Berlinois décrivent ce bar transparent de la Karl-Marx-Allee en face du cinéma Kino International. Le café, dit aussi "KMA 36" (en référence à l'adresse), existait déjà sous la RDA sous la forme d'un salon de cosmétique dont on a conservé le nom (Babette). Aujourd'hui, c'est le rendez-vous des fêtards qui s'échauffent avant de se plonger dans les deux grands clubs tendance des environs, le Week-End et le Berghain.

···▶ *À côté se trouve le Café Moskau, établissement historique où travaillaient encore 160 personnes dans les années 1980. Il a été transformé en centre de conférences.*

Karl-Marx-Allee 36, 10178
tlj à partir de 18h
Ⓤ5 Schillingstrasse

16. TOUR DE TÉLÉVISION

VERY CHIC

BAR

Si vous comptez vous rendre en haut de la tour de télévison, profitez-en pour boire un verre au Telecafé. La vue est imprenable sur Berlin avec son restaurant panoramique tournant. Les prix ne sont pas exagérés pour ce genre d'endroit. Comptez 3 € pour un expresso, 7,50 € pour un cocktail ou un *long drink*.

···▶ *Il faut néanmoins payer l'entrée à la tour (12 €) pour accéder au restaurant panoramique. Une alternative (plus modeste) : la terrasse de l'hôtel Park Inn (ci-contre).*

Fernsehturm • Panoramastrasse 1, 10178
24 75 75 37 • www.tv-turm.de • tlj 9h-minuit
(10h-minuit nov-fév) • Ⓤ2, Ⓤ5, Ⓤ8 et Ⓢ-Bahn
Alexander Platz

17. GEORGBRÄU BRAUHAUS

BRASSERIE

Cette brasserie des bords de la Spree est l'endroit idéal pour aller boire une bière dans l'ambiance rustique d'une taverne berlinoise. Parfait l'été en terrasse. Le public est composé essentiellement de touristes.

Spreeufer 4, 10178 • 242 42 44
www.georgbraeu.de • tlj 12h-minuit
Ⓤ2, Ⓤ5, Ⓤ8 et Ⓢ-Bahn Alexander Platz

19.

20.

18. WEEK-END

BAR-CLUB

Mieux que la tour de télévision, qui ferme à minuit, on peut aller prendre un verre au Week-End, à l'ouverture de la boîte de nuit (p. 185). Il y a encore très peu de monde à cette heure de la nuit. Depuis la terrasse de l'immeuble désaffecté de l'ancienne et unique agence de voyages de la RDA, Haus des Reisens, on a une vue imprenable sur tout Berlin.

···› *Les prix des boissons dans les boîtes de nuit ne sont pas excessifs comme dans les autres capitales d'Europe.*

12e et 15e ét. de la Haus des Reisens, Alexanderstrasse 7, 10178 • www.week-end-berlin.de • jeu-dim à partir de 23h Ⓤ2, Ⓤ5, Ⓤ8 et Ⓢ-Bahn Alexander Platz

19. GALERIA KAUFHOF

CAFÉ

Le grand magasin le plus important de la RDA, construit en 1970, a été entièrement restauré et réaménagé en 2006 par des investisseurs privés. Depuis, il a les allures d'un grand magasin classique comme son pendant de l'Ouest, le KaDeWe (p. 143), et il est beaucoup plus accueillant. Montez au dernier étage pour prendre un café dans le restaurant en self-service. C'est tranquille et on a la vue sur Alexander Platz et la Karl-Marx-Allee.

Alexander Platz 9, 10178 • 24 74 30 www.galeria-kaufhof.de • lun-mer 9h30-20h, jeu-sam 9h30-22h • Ⓤ2, Ⓤ5, Ⓤ8 et Ⓢ-Bahn Alexander Platz

20. HÔTEL PARK INN

BAR

Une excellente alternative en cas de cohue au pied de la tour de télévision. Pas besoin de se présenter à la réception (entrée à côté du fast-food sur la place) : prenez directement l'ascenseur à gauche et sortez au 37e étage. Puis empruntez l'escalier de service. La vue panoramique depuis la – petite – terrasse est excellente même si elle est limitée à l'ouest. On peut s'installer sur un transat et boire un verre en profitant de la vue.

Alexanderplatz 7, 10178 • 23 89 0 • tlj 15h-22h (été), lun-jeu 15h-18h, ven-dim 12h-18h (hiver) • **entrée 3 €** • Ⓤ2, Ⓤ5, Ⓤ8 et Ⓢ-Bahn Alexander Platz

MITTE
Hackescher Markt
MODE ET GALERIES

L'ancien quartier juif autour de Hackescher Markt est devenu le plus chic de la capitale. Les galeries d'art contemporain sont regroupées dans Auguststrasse et les créateurs de mode dans Mulackstrasse. Ce quartier très tendance est également celui des touristes, de plus en plus nombreux à se balader dans Oranienburger Strasse. Une évolution qui attire également les promoteurs. Restaurants, commerces et hôtels remplacent petit à petit les centres culturels comme le légendaire Tacheles, symbole des squats de Berlin-Est, dont les artistes ont été expulsés définitivement en septembre 2012.

REPÈRES

LE QUARTIER CHIC : Hackescher Markt
LE QUARTIER DES GALERIES : Auguststrasse
LE QUARTIER DE LA MODE : Mulackstrasse
LE QUARTIER TOURISTIQUE : Oranienburger Strasse

ESSENTIELS

HACKESCHER MARKT/⊙1 ET 3 : incontournable, avec les cours intérieures des Hackesche Höfe et le centre culturel Schwarzenberg (détails p. 77).

L'ORANIENBURGER STRASSE/⊙5 : bordée de restaurants et de boutiques pour touristes, elle mérite néanmoins une balade pour ses grands bâtiments prussiens et sa synagogue (détails p. 78).

LE TACHELES/⊙4 : le dernier symbole des squats de Berlin-Est a fermé en septembre 2012. L'avenir de ce bâtiment est encore incertain (détails p. 78).

L'AUGUSTSTRASSE/⊙9 : la rue des galeries d'art de Berlin, avec le KW comme point d'orgue (détails p. 79).

Confidentiels

LE STRANDBAR (L'ÉTÉ)/♟24 : pour boire un verre dans une chaise longue au bord de la Spree avec vue sur les musées et sur la tour de télévision. Berlin tout craché! (détails p. 86)

LE PASSAGE HECKMANN HÖFE/♟29 : une oasis de tranquillité pour fuir facilement la cohue d'Oranienburger Strasse (entrée au n°32 ou par Auguststrasse ; détails p. 87).

LE CAMPUS DE L'HÔPITAL UNIVERSITAIRE DE LA CHARITÉ/⊙2 : mérite une balade si l'on s'intéresse à l'histoire des huguenots français réfugiés à Berlin (détails p. 77).

LA MULACKSTRASSE/♠31 : les marques indépendantes de la mode berlinoise et internationale sont installées dans cette petite rue de la capitale (détails p. 88).

AUTOUR DU VOLKSBÜHNE/⊙42 : à l'ouest du théâtre de Berlin-Est se trouvait autrefois le Scheunenviertel, le quartier pauvre des juifs d'Europe de l'Est.

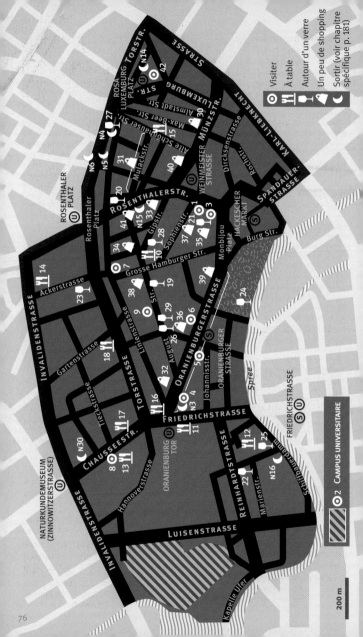

TORSTR.

ROSA LUXEMBURG PLATZ

LUXEMBURG STR.

STRASSE

KARL-LIEBKNECHT

N14

42

30

Almstadt Str.

MÜNZSTR.

27

N4

15

Max-Beer Str.

Alte Schönhauser Str.

WEINMEISTER STRASSE

Dircksenstrasse

Rochstr.

N6   N5

31

40

Mulackstr.

ROSENTHALER PLATZ

20

Rosenthaler Platz

ROSENTHALERSTR.

33

SPANDAUER-STRASSE

41   N15

Gipstr.

28

37   21

35   1   3

HACKESCHER MARKT

34

Sophienstr.

Burg Str.

Monbijou Platz

14

7   10

Grosse Hamburger Str.

Ackerstrasse

23

38

Str.

19

39

24

INVALIDENSTRASSE

9

29   36   6

Linienstrasse

26

August

32

ORANIENBURGERSTRASSE

Gartenstrasse

18

TORSTRASSE

50

Spree

Tieckstrasse

16

N3   4

ORANIENBURGER STRASSE

17

Johannisstr.

ORANIENBURGER TOR

FRIEDRICHSTRASSE

FRIEDRICHSTRASSE

CHAUSSEESTR.

N30

11

12

8   13

25

REINHARDTSTRASSE

Schiffbauerdamm

Hannoverstrasse

22   N16

Marienstr.

NATURKUNDEMUSEUM (ZINNOWITZERSTRASSE)

INVALIDENSTRASSE

LUISENSTRASSE

Kapelle Ufer

200 m

◉ Visiter

❚❙❘ À table

🍷 Un peu d'un verre

🛍 Un peu de shopping

🌙 Sortir (voir chapitre spécifique p. 181)

◉ 2 CAMPUS UNIVERSITAIRE

VISITER

C' est l' endroit idéal pour faire du shopping.
Le nombre de galeries d' art et de
boutiques de mode est impressionnant.
Mais le quartier est aussi chargé
d' histoire. On peut se pencher
notamment sur le destin tragique des
juifs du Scheunenviertel en visitant
la nouvelle synagogue, le cimetière,
la Koppenplatz ou la maison Schwarzenberg.

GRA-TUIT

1. HAUS SCHWARZENBERG

Allez au fond de la cour et vous verrez à quoi ressemblait le quartier avant la chute du Mur. Cet immeuble, qui appartenait autrefois à un avocat juif exproprié par les nazis, est le seul du quartier à avoir survécu à l'appétit des promoteurs. Dans les étages, plusieurs artistes ont conservé leur atelier. On y trouve un cinéma (avec des films en VO), une librairie d'art, des cafés et l'exposition permanente du centre Anne Frank, petite fille assassinée à 15 ans par les nazis au camp de Bergen-Belsen (mar-dim 10h-18h, tarif plein/réduit 5/2,50 €).

⋯⋗ *À voir aussi : deux expositions sur les "héros de l'ombre" qui ont protégé des juifs pendant la guerre (atelier Otto Weidt, entrée gratuite, et le Centre de documentation sur la résistance contre la persécution des juifs, ouverts de 10h à 20h).*

Rosenthaler Strasse 39, 10178
www.haus-schwarzenberg.org • tlj
Ⓤ8 Weinmeisterstrasse

2. CAMPUS DE L'HÔPITAL UNIVERSITAIRE DE LA CHARITÉ

Le complexe universitaire "Campus Charité Mitte" (CCM) s'étend sur plusieurs hectares au cœur de Berlin. On y trouve une multitude de petits bâtiments en brique rouge autour d'un immense hôpital central construit sous la RDA. Une balade dans le parc, sous les arbres, nous replonge dans une époque qu'on croyait disparue à Berlin. Le contraste architectural entre l'ancien et les immeubles des années 1960 est saisissant. Les accès au campus sont nombreux.

⋯⋗ *On peut visiter le Musée historique médical sur le campus (Charité Platz 1 ; mar, jeu, ven et dim 10h-17h, mer, sam 10h-19h; entrée tarif plein/réduit 7/3,50 €).*

Ⓢ-Bahn Oranienburger Strasse
Tram M1, 12

3. HACKESCHE HÖFE

Véritable attraction touristique, les Hackesche Höfe, construits en 1906, sont une succession de cours intérieures qui accueillent cinémas, théâtres, boutiques, cafés et restaurants. Sous les arcades du viaduc de la station de S-Bahn Hackescher Markt sont installés une multitude de restaurants et de bars.

···⟩ *Marché sur la place le jeudi.*
Rosenthalerstrasse 40/41 et Sophienstrasse 6, 10178
280 980 10 • www.hackesche-hoefe.com
S-Bahn Hackescher Markt • Tram M1, M4, M12

4. TACHELES

Ce centre culturel était le squat le plus connu d'Allemagne. Ancien grand magasin, occupé par les SS pendant la guerre, le Tacheles a été investi par des artistes après la chute du Mur et accueillait des créateurs du monde entier. Les occupants ont résisté de longues années à l'appétit des promoteurs qui voulaient transformer l'endroit en centre commercial. Ces derniers ont finalement obtenu gain de cause. En septembre 2012, le Tacheles a fermé définitivement ses portes. La façade de ce haut-lieu de la contre-culture berlinoise est cependant toujours visible.
Oranienburger Strasse 55, 10117 • **S**-Bahn Oranienburger Strasse • Tram M1, 12

5. ORANIENBURGER STRASSE

Le déménagement contraint du beau centre d'expositions photographiques C/O Berlin (un promoteur a racheté les locaux de l'ancien centre postal, le Postfuhramt) a sonné le glas de la culture dans cette rue mythique des squats de Berlin-Est. Presque chaque immeuble dispose désormais à ses pieds d'un restaurant ou d'une boutique pour touristes. Une balade est néanmoins recommandée avec un arrêt devant la grande synagogue, le bâtiment le plus significatif de la rue.

···⟩ *Le soir, la rue est un lieu de prostitution (le long du Monbijoupark).*
Côté ouest : **S**-Bahn Hackescher Markt
Tram M1, M4, M12
Côté est : **S**-Bahn Oranienburger Strasse
Tram M1, 12

6. NOUVELLE SYNAGOGUE – CENTRUM JUDAICUM

Achevée en 1866, la synagogue a été profanée par les nazis pendant la Nuit de cristal le 9 novembre 1938. Elle fut presque entièrement détruite par les bombes des Alliés et resta en ruine jusque dans les années 1980. La restauration de la façade et de la coupole lui a redonné tout son éclat, pas sa taille originale. Depuis 2006, elle est le siège de la communauté juive berlinoise qui vit une véritable renaissance grâce à l'immigration d'Europe de l'Est. La synagogue accueille diverses expositions.

···> *Les mesures de sécurité sont pratiquement les mêmes qu'à l'aéroport (portique). La synagogue est surveillée 24h/24 par la police comme toutes les institutions juives d'Allemagne.*

Oranienburger Strasse 28/30, 10117 • 88 02 83 16 www.cjudaicum.de • dim-lun 10h-2oh (10h-18h nov-fév), mar-jeu 10h-18h, ven 10h-17h (10h-14h mars-fév) **tarif plein/réduit 3,50/3 € • ⑤-Bahn Oranienburger Strasse, Tram M1, M6**

8. MUSÉE BERTOLT BRECHT

De retour d'exil, le dramaturge a vécu au premier étage de cet immeuble, avec sa femme, Helene Weigel, de 1953 à sa mort, le 14 août 1956. Ici, il était tout proche de son théâtre, le Berliner Ensemble. On peut visiter trois pièces de l'appartement dans leur agencement d'origine.

···> *Brecht est enterré avec sa femme dans le cimetière qui jouxte la maison, où l'on trouve aussi d'autres hommes et femmes de lettres allemands (Hegel, Johann Gottlieb Fichte, Heinrich Mann, Anna Seghers...).*

Bertolt Brecht Haus Chausseestrasse 125, 10115 200 57 18 44 • visites guidées de 30 minutes uniquement mar 10h-15h, mercredi et vendredi 10h et 11h, jeudi 10h, 11h, 17h et 18h, samedi 10h-12h et 13h-15h30, dimanche 11h à 18h **tarif plein/réduit 5/2,50 €** ⑥6 Naturkundemuseum • Tram 12

7. KOPPENPLATZ

La place mérite un petit arrêt dans le jardin central. Le sculpteur Karl Biedermann et l'architecte paysagiste Eva Butzmann ont réalisé ici, en 1991, un havre de paix chargé d'histoire. La sculpture de bronze, *La Pièce qu'on abandonne* (*Der verlassene Raum*), met en scène la violence des interrogatoires nazis. Cette œuvre a été conçue comme un mémorial en souvenir des déportations massives dans cet ancien quartier juif, appelé le Scheunenviertel.

⑧8 Rosenthaler Platz

9. GALERIE KW

Situé dans *la* rue des galeries d'art, le KW a élu domicile dans une ancienne usine de margarine. On accède à cette galerie d'art contemporain par une petite cour intérieure ; admirez au passage l'escalier en bois sous le porche, qui fait partie d'un bâtiment de 1794. Les "Kunst-Werke" accueillent depuis 1991 des expositions d'art d'envergure internationale mais aussi des expositions historiques.

···> *Billet du jeudi soir (19h-21h) : 4 € en visite guidée.*

Auguststrasse 69, 10117 • www.kw-berlin.de • 243 45 90 mar-dim 12h-19h (jeu jusqu'à 21h) • entrée 6 € ⑤-Bahn Oranienburger Strasse • Tram M1, 12

À TABLE !

VERY CHIC

10. KUCHI
SUSHIS

Le succès du restaurant à l'ouest de la ville a encouragé le propriétaire à ouvrir une seconde adresse dans la partie est de Berlin après la réunification (beaucoup de restaurateurs de l'Ouest ont ouvert des filiales à l'Est mais avec moins de réussite). Kuchi est connu comme le loup blanc pour ses sushis (plats 8-23 €). L'établissement a les faveurs de la jeunesse dorée de Mitte.

···▷ *Y aller à midi (l'été en terrasse dans la cour) avec toute la faune tendance qui travaille dans le quartier. À midi, les menus coûtent de 7 à 12 € et sont servis jusqu'à 17h.*

Gipsstrasse 3, 10119 • 28 38 66 22
www.kuchi.de • lun-sam 12h-minuit
et dim 18h-minuit • Ⓤ8 Rosenthaler
Platz ou Weinmeisterstrasse

11. PANINOTECA
SANDWICHERIE

Enfin une boutique qui sait faire des sandwichs à Berlin! Faits avec du pain focaccia ou ciabatta, ils coûtent moins de 5 € et l'on est rassasié. Au dessert, on peut accompagner son café d'une part de gâteau fait maison (placés sur le comptoir). Sinon, il y a le choix entre différentes salades mixtes et des soupes. Pas de meilleur endroit dans le quartier pour déjeuner sur le pouce. Mais attention : il faut parfois faire la queue !

Friedrichstrasse 128, 10117
lun-ven 10h-17h • Ⓤ6 Oranienburger Tor
Tram M1, 12, M6

12. BERLINER ENSEMBLE

CANTINE

Derrière le célèbre théâtre de Bertolt Brecht (Berliner Ensemble), les comédiens se restaurent dans leur cantine, parfois entre les répétitions, sans quitter leur costume de scène. Il y a quatre plats du jour et c'est ouvert à tout le monde. La cuisine est familiale et d'un rapport qualité/prix imbattable (plats environ 5 €). Vous payez le prix "Gast" (invité), les comédiens paient le prix "maison". Par beau temps, on déjeune dans la cour.

···⟩ *Entrez dans le théâtre par la droite et traversez la cour. Vous verrez les quelques marches qui mènent à cette cantine souterraine.*

Bertolt-Brecht-Platz 1, 10117 • 28 40 81 17 236 • tlj 9h-minuit • Ⓤ6 ou Ⓢ-Bahn Friedrichstrasse

13. BRECHT-KELLER

AUTRICHIEN

Le restaurant se trouve sous le musée Bertolt-Brecht. Il est installé dans les caves, sous l'appartement du dramaturge. Décorée avec des meubles récupérés au théâtre du Berliner Ensemble, la "cave de Brecht" propose une cuisine traditionnelle avec des vins autrichiens de qualité. Menus de 24 à 28 € (deux à trois plats). Le *Tafelspitz* (aiguillette de bœuf) est la spécialité de la maison. Par beau temps, on peut dîner sur la terrasse dans la cour, sous les grands châtaigniers.

Chaussestrasse 125,
10115 • 282 38 43
www.brechtkeller.de
tlj à partir de 18h
Ⓤ6 Naturkundemuseum
Tram 12

14. PAPÀ PANE

ITALIEN

Le décor est tendance, les pizzas sont gigantesques. Au Papà Pane, on vient pour l'ambiance italienne mais aussi pour une excellente cuisine. Et les prix sont très abordables (plats 4,50-15 €). Papà Pane change sa carte en fonction des saisons. L'été, c'est grandes salades fraîches et l'hiver plutôt filet de bœuf gratiné au brie.

Ackerstrasse 23, 10115 • 28 09 27 01
www.papapane.de • tlj 12h-minuit
(déj lun-sam 12h-15h30) • Ⓢ-Bahn Nordbahnhof
Ⓤ8 Rosenthaler Platz • Tram M8, 12

VERY CHIC

15. MONSIEUR VUONG

VIETNAMIEN

Qui ne connaît pas monsieur Vuong, ses lanternes et ses bouddhas ? L'un des premiers Vietnamiens du quartier, il s'est taillé une bonne réputation pour ses petits prix, sa bonne cuisine et son décor exotique. Chaque jour, vous avez le choix entre quatre soupes et deux plats principaux (7,40-9,80 €). Le Tout-Berlin de la mode débarque ici midi et soir. Monsieur Vuong vient parfois saluer personnellement les convives aux tables.

···> *Évidemment, il vaut mieux réserver !*
Alte Schönhauser Strasse 46, 10119
99 29 69 24 • www.monsieurvuong.de
tlj 12h-minuit • Ⓤ8 Weinmeisterstrasse
ou Ⓤ2 Rosa-Luxemburg-Platz

16. GAMBRINUS

ALLEMAND

L'établissement existait déjà avant la chute du Mur. Noyé aujourd'hui au milieu des restaurants touristiques d'Oranienburger Strasse, le Gambrinus est le seul à proposer une cuisine allemande dans un décor typiquement berlinois. Les plats sont très bon marché (2,50-16 €). Ils sont aussi consistants (poêlée paysanne) et accompagnés de choucroute, de pommes de terre sautées ou d'une salade de concombre. Petits appétits s'abstenir ! Gambrinus est une référence pour les amateurs de bière : on y trouve six sortes de pressions différentes.

···> *À midi, le plat du jour est à 5,50 €.*
Linienstrasse 133, 10115
282 60 43 • tlj 12h-2h
Ⓢ-Bahn Oranienburger Strasse
Tram M1, M6, 12

VERY CHIC & VERY CHEAP

17. SPEISE-ZIMMER

AUTRICHIEN/ MÉDITERRANÉEN

Niché dans une cour de l'ancienne usine de locomotives à vapeur Borsig, le restaurant est tenu par une célèbre Autrichienne qui a fait carrière à la télévision. En dix ans, Sarah Wiener est devenue la cuisinière la plus connue du petit écran. Le Speisezimmer, son quartier général, propose des plats variés et légers d'un rapport qualité/prix imbattable (plats 8-24 €). On s'assoit à de grandes tables que l'on partage avec d'autres clients. L'été, la terrasse est ouverte dans la cour.

···﹥ *Il faut passer sous le premier porche pour accéder à la cour où se trouve le restaurant.*
Chausseestrasse 8, 10115
814 52 94 30 • www.
sarahwieners.de • lun-ven
12h-23h, sam 18h-23h
Ⓤ6 Oranienburger Tor
Tram M1, 12, M6

18. THEMROC

INTERNATIONAL

Les épicuriens (*Lebenskünstler* en allemand) se retrouvent au Themroc. L'ancien snack de la RDA est aujourd'hui un café-resto bohème meublé d'objets chinés aux puces ou retrouvés dans des greniers. Le choix musical s'étend de Miles Davis à Georges Brassens. Un ou deux menus par jour suffisent pour être heureux au Themroc et l'on dépense de 8 à 16 € pour un plat.

···﹥ *C'est l'une des meilleures adresses du quartier : pensez à réserver !*
Torstrasse 183, 10115 • 282 44 74 • tlj 12h-15h et 19h-2h
(dim et lun seulement le soir) • Ⓤ8 Rosenthaler Platz
Tram M1, 12, M8

AUTOUR D'UN VERRE...

19.   20.

19. BALLHAUS MITTE

CAFÉ DANSANT

C'est l'un des derniers endroits authentiques qui n'ait pas été rénové dans Mitte. Il comprend une magnifique salle de bal des années 1920. Des soirées dansantes y sont organisées tous les samedis soir avec un public de tout âge. À l'extérieur, un jardin fleuri l'été et quelques tables pour boire un verre. N'hésitez pas à monter à l'étage, dans la Spiegelsaal, une grande salle décrépite qui a su résister au temps, magnifique avec ses miroirs.

Auguststrasse 24, 10117
282 92 95 • www.ballhaus.de
tlj à partir de 10h • Ⓢ-Bahn
Oranienburger Strasse
Tram M1

20. AMANO BAR

TERRASSE

Élégant sans être trop froid avec ses miroirs, le bar de l'hôtel Amano est un refuge de luxe au milieu d'un quartier très chaotique. L'ambiance est plutôt glamour. Les cocktails sont recommandés (à partir de 6 €). Mais vous pouvez vous contenter d'une bière sans vous ruiner (3 €).

⋯⟶ *Commandez au bar et montez sur la terrasse (fermée l'hiver) pour une belle vue sur Berlin dans une ambiance VIP. On accède au cinquième étage par l'ascenseur.*

Auguststrasse 43, 10119 • 809 41 50 • www.hotel-amano. com • tlj à partir de 14h • Ⓤ8 Rosenthaler Platz • Ⓢ-Bahn Hackescher Markt

21. CAFÉ CINEMA

CAFÉ

Il n'existe pas d'autres endroits dans le quartier pour retrouver l'ambiance des années 1990. Dans une atmosphère d'après chute du Mur, le "CC" ne vous propose rien d'autre qu'un peu de répit dans ce quartier très touristique. Il y a toujours des expositions photo aux murs. On y sert aussi des petits plats à des prix abordables.

Rosenthaler Strasse 39, 10178 • 28 06 4 15
tlj 12h-2h • Ⓤ8 Weinmeisterstrasse

22. BÖSE BUBEN BAR

CAFÉ

Quel bonheur de trouver un petit café d'intellectuels dans ce quartier médiatique. Situé dans une rue à l'écart du tumulte de Friedrichstrasse, le Böse Buben Bar ("bar des méchants garçons") est l'endroit idéal pour aller boire un verre au calme. Fréquenté par les journalistes et les responsables politiques du quartier gouvernemental, il est aussi apprécié des habitants et des touristes. Le mélange parfait ! Le café organise régulièrement des lectures.

Marienstrasse 18, 10117
27 59 69 09
www.boesebubenbar.com
tlj à partir de 10h
Ⓤ6 ou Ⓢ-Bahn Friedrichstrasse

23. SCHOKOLADEN

CAFÉ-CONCERT

Ce café destroy des années 1990 est logé dans l'un des derniers immeubles qui n'ait pas été modernisé. Le Schokoladen accueille un public antichic et antibobo. Le café propose des concerts pop, rock ou punk du mercredi au samedi dans une atmosphère de salon hippie. Le grand rendez-vous musical a lieu le premier et le troisième mercredi du mois avec des concerts – plutôt soft – de compositeurs-interprètes (entrée 6 €).

⋯⋗ *Les occupants se battent depuis 2008 contre leur expulsion. Il est donc possible que l'endroit ait fermé entre-temps.*

Ackerstrasse 169, 10115 • 282 65 27
www.schokoladen-mitte.de
Ⓤ8 Rosenthaler Platz
Tram M1, 12, M8

24. STRANDBAR

VERY CHIC

BAR DE PLAGE

Le "bar de la plage" (*Strand Bar*) a été entièrement rénové. Il a perdu le charme de son côté provisoire, mais le premier "Berlin-plage" de la capitale reste très agréable avec sa vue sur le Bode Museum. Sur les bords de la Spree, on est à l'abri du bruit des voitures. Les Berlinois viennent ici boire un verre après le travail ou dans la soirée, par beau temps. Ceux qui ont un petit creux peuvent commander une pizza à emporter.

···▷ *Plus haut, l'amphithéâtre en bois accueille l'été des concerts et des représentations théâtrales.*

dans le Monbijoupark
www.strandbar-mitte.de
mai-sept à partir de 10h
🟢-Bahn Hackescher Markt
Tram M1

25. STÄV

BAR

Le Ständige Vertretung (StäV) est l'annexe d'un bar politique de Bonn. Il se veut le digne représentant de tous les Rhénans de la capitale depuis le déménagement du gouvernement en 1999. On y fête le carnaval (inconnu à Berlin) et on y boit de la Kölsch (bière de Cologne), qui rend, selon les Rhénans, heureux. La décoration est constituée de photos de responsables politiques qui ont fréquenté le bar de Bonn. Aujourd'hui, ce sont en majorité des touristes qui y viennent.

Schiffbauerdamm 8, 10117 • 2823965 • www.staev.de
tlj à partir de 11h • 🅤6 ou 🟢-Bahn Friedrichstrasse

26. ZOSCH

CAFÉ

Cerné par les cafés chics des galeristes de l'August-strasse, le café Zosch a su conserver un parfum de bohème des années 1990 et des prix corrects. On peut y manger pour moins de 10 €. Descendez dans la cave voûtée et prenez un verre au bar. Des groupes de rock jouent plusieurs fois par semaine sur la scène. Allez-y avant que ça ferme !

Tucholskystrasse 30, 10117 • 280 76 64
www.zosch-berlin.de • tlj à partir de 16h
🟢-Bahn Oranienburger Strasse • Tram M1

29.

29.

29.

27. KAFFEE BURGER

CAFÉ DANSANT

Véritable institution, le Burger a été fondé par le Russe le plus célèbre de la capitale. L'écrivain Vladimir Kaminer s'est fait connaître ici dans les années 1990 pour ses fameuses soirées de disco russe. Le décor est-allemand, avec ses tapisseries délavées, n'a pas changé. Le café organise toujours des lectures, des concerts et des soirées. Il y a parfois beaucoup de monde et on y boit volontiers un verre de trop. Voir aussi p. 182.

Torstrasse 58/60, 10119
28 04 64 95
www.kaffeeburger.de
pour danser lun-ven à partir
de 20h, sam 21h ou 22h,
dim 19h
Ⓤ2 Rosa-Luxemburg Platz

28. HACKBARTH'S

CAFÉ/BAR

C'est l'une des plus anciennes adresses tendances du quartier. Journalistes, étudiants et autres intellos du monde du spectacle se retrouvent autour d'un grand comptoir en V pour discuter jour et nuit des indiscrétions du moment dans un décor inchangé depuis 20 ans. On peut aussi y manger un en-cas (quiche, gâteaux, tapas...) sans se ruiner (jusqu'à 20h).

···▷ *On peut fumer à partir de 21 heures (ce qui devient rare à Berlin).*

Auguststrasse 49a, 10119
282 77 04
tlj à partir de 10h
Ⓤ8 Rosenthaler Platz
ou Weinmeisterstrasse,
Tram M1

29. HECKMANN HÖFE

CAFÉS

Pour échapper au tapage des Hackesche Höfe, le passage obligé de tous les touristes, rendez-vous à deux pas de là, aux Heckmann Höfe, situés à côté de la synagogue. L'ambiance est tout à coup beaucoup plus tranquille dans la petite cour avec sa fontaine. L'été, on se croirait presque dans le sud de la France à l'ombre des platanes.

···▷ *Un accès aux cours intérieures se fait aussi par l'Auguststrasse.*

Oranienburger Strasse 32,
10117 • 40 05 49 61
tlj 12h-20h • Ⓢ-Bahn
Oranienburger Strasse
Tram M1

30. BONBON MACHEREI

CONFISERIE

Un paradis pour les enfants et les amateurs de bonbons, caramels ou réglisses. Ici, tous les produits sont faits à la main et on peut assister au travail des confiseurs dans la boutique. Attention à ne pas se laisser aller. Les tarifs ne sont pas les mêmes qu'au rayon confiserie du supermarché. La qualité a son prix !

···▷ *Bonne idée de cadeau pour des parents ! Ça évite les éternelles pralines.*

Heckmann Höfe • Oranienburger Str. 32, 10117 • 440 55 243
www.bonbonmacherei.de • mer-sam 12h-20h (ferme en juillet-août)
Ⓢ-Bahn Oranienburger Strasse, Tram M1

VERY CHIC

31. MULACKSTRASSE

MODE – CRÉATEURS

Au même titre que l'Auguststrasse pour les galeries d'art, "Mulack" est la rue de la mode tendance à Berlin. Les marques – berlinoises et internationales – les plus en vogue se sont installées dans cette rue étroite de la capitale. Pendant la semaine de la mode (Fashion Week) qui a lieu chaque année en juillet, les professionnels se donnent rendez-vous ici après les défilés. Mulack mérite vraiment une petite virée, car elle incarne le nouveau Berlin créatif et chic.

Ⓤ2 Rosenthaler Platz
ou Ⓤ8 Weinmeisterstrasse

32. ZADIG

LIBRAIRIE FRANÇAISE

Cette excellente librairie française est l'un des principaux lieux de rendez-vous de la culture francophone à Berlin. On y organise des lectures et des concerts dans l'arrière-boutique. Les auteurs viennent présenter leurs ouvrages au public. La librairie propose un large choix de livres en français et dispose d'un grand rayon consacré à Berlin. Si vous perdez votre guide en route, vous pourrez évidemment le retrouver chez Zadig.

Linienstrasse 141, 10115 • 28 09 99 05
www.zadigbuchhandlung.de
lun-sam 11h-17h
Ⓤ6 Oranienburger Tor
Tram M1, 12, M6

33. WAAHNSINN BERLIN

BAZAR

On trouve de tout au "Berlin foufou". Cette boutique logée au pied d'un ancien HLM est-allemand propose des vêtements, du mobilier, des lampes et des accessoires des années 1940 aux années 1970. Neuf ou d'occasion. L'essentiel, c'est que les objets soient "foufous".

Rosenthaler Strasse 17, 10119 • 282 00 29 • www.waahnsinn-berlin.de
lun-sam 12h-20h • Ⓤ8 Weinmeisterstrasse

34. PEARL'S PLANET

PERLES

On parle surtout le tchèque dans cette petite boutique de l'Auguststrasse, mais pas besoin de savoir beaucoup parler pour apprendre soi-même à faire des colliers. Vous avez le choix entre 15 000 perles de Bohême pour faire des colliers, des bracelets et bien d'autres accessoires fantaisie. Le patron vous explique comment faire (il organise même des ateliers). On paie les perles à l'unité ou au gobelet.

⋯⋗ *La boutique est souvent pleine le samedi.*

Auguststrasse 52, 10119
50 59 74 70 • www.pearlsplanet-berlin.de
lun-ven 11h-19h, sam 11h-18h
Ⓤ8 Rosenthaler Platz

35. BFN CONCEPT STORE

VERY CHIC

MODE – CRÉATEURS BERLINOIS

BFN (Berlin Fashion Network) est la plus grande plate-forme berlinoise de distribution et de promotion des créateurs indépendants. Elle représente plus de 100 marques de la capitale. La boutique Concept Store des Hackesche Höfe vend sur deux étages des collections provenant de plus de 40 labels berlinois et internationaux indépendants. On y trouve du casual et du streetwear autant que de la haute couture. L'exclusivité a un prix : sac à main 189 €, casquette 25 €.

⋯⋗ *Le label berlinois Kilian Kerner, dont la notoriété ne cesse de grimper, occupe désormais 50% de la surface de vente.*

Rosenthaler Strasse 40/41, 10178
Hackesche Höfe, cour III
www.berlinfashionnetwork.com
lun-sam 11h-20h • Ⓤ8 Weinmeisterstrasse
Ⓢ-Bahn Hackescher Markt • Tram M1

36. NIX

MODE – CRÉATEURS

La marque indépendante berlinoise Nix est nichée dans les cours intérieures des Heckmann Höfe, loin de l'agitation de Mulackstrasse et des Hackesche Höfe, deux hauts lieux de la création berlinoise. La fondatrice Barbara Gebhardt, l'une des pionnières de la "nouvelle vague" berlinoise, présente des collections adaptées aux besoins quotidiens des urbains.

Oranienburger Strasse 32, 10117 • 281 80 44
www.nix.de • lun-sam 11h-20h
Ⓢ-Bahn Oranienburger Strasse • Tram M1

37. AMPELMANN

SOUVENIRS

Le bonhomme des feux de signalisation de l'ex-Allemagne de l'Est est devenu un objet culte. Avec son grand chapeau et son allure de figurine de babyfoot, Ampelmann se décline désormais à toutes les sauces du marketing. Le gentil bonhomme est-allemand se fait paquet de chewing-gums (2,20 €), lampe murale (79 €), serviette, T-shirts ou porte-clés. Ampelmann est si chic qu'il existe même en restaurant.

···⫶ *Il existe 4 boutiques Ampelmann à Berlin.*
Rosenthaler Strasse 40/41, 10178
44 04 88 01 • www.ampelmann.de • Hackesche Höfe,
Cour III • lun-sam 9h30-22h, dim 10h-19h
Ⓤ8 Weinmeisterstrasse
Ⓢ-Bahn Hackescher Markt
Tram M1

38. KONK

MODE – CRÉATEURS

Cette boutique, installée dans une petite impasse adjacente à Auguststrasse, propose des articles de grande qualité, créés pour la plupart par des stylistes berlinois comme Antonia Goy, c.neeon, Franzius, Kaviar gauche, Franzius, caro e., Penelope's Sphere, etc. Elle vend aussi toutes sortes d'accessoires.

Kleine Hamburger Strasse 15,
10117 • 28 09 78 39
www.konk-berlin.de
lun-ven 12h-20h, sam 12h-18h
Ⓤ8 Weinmeisterstrasse

39. WERKHAUS

ACCESSOIRES ET RANGEMENT

Cette boutique propose une multitude d'articles de rangement en bois léger, écologiques et 100% made in Germany. Petit bus Volkswagen porte-crayon, albums photos, kaléidoscopes... une bonne adresse pour un cadeau vite fait et original.

···⟩ *Une autre boutique se trouve à Prenzlauer Berg (Kollwitzstrasse 86)*

Friedrichstrasse 123, 10117 • 27 58 24 80 • lun-sam 11h-20h
🟢-Bahn Oranienburger Strasse • Tram M1

40. ADDDRESS

MODE – CRÉATEURS

Voilà l'adresse d'une créatrice berlinoise renommée. Andreea Vrajitoru présente ici des collections de vêtements aux coupes minimalistes, du style sportif à l'élégance pure. La designer tient à utiliser des matériaux de grande qualité. Elle mélange le classique au moderne et s'attache aux détails. Après avoir conquis Berlin, ses collections sont désormais vendues au Japon, à Hong Kong et dans plusieurs capitales européennes.

Weinmeisterstrasse 12, 10179
28 87 34 34 • www.adddress.de
lun-sam 12h-20h
Ⓤ8 Weinmeisterstrasse

41. WOLFEN

VERY CHIC

MODE – CRÉATEURS

Jacqueline Huste, architecte de formation, a créé en 2001 une marque à contre-courant de la tendance. Sa boutique n'est d'ailleurs pas dans Mulackstrasse, la rue des créateurs, mais dans la rue des galeristes. Jacqueline Huste propose des articles tricotés avec des laines qu'elle va chercher elle-même pendant ses voyages autour du monde. Les prix varient de 65 € (foulard) à 260 € (blouse). Beaucoup d'articles sont des pièces uniques.

Auguststrasse 41, 10119
442 98 16 • www.wolfengermany.com
lun-ven 12h-19h, sam 12h-18h
Ⓤ8 Rosenthaler Platz

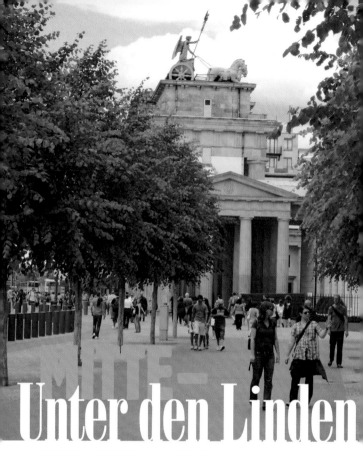

Mitte-
Unter den Linden

L'HISTOIRE RECONSTRUITE

L'ancien quartier abandonné du centre de Berlin a repris des couleurs. La grande avenue Unter den Linden, entre la porte de Brandebourg et Alexander Platz, grouille de monde. Les musées ont retrouvé leur éclat et les hôtels leur luxe d'antan. Dans ce quartier d'affaires très touristique, on reconstruit à l'identique les édifices détruits pendant la guerre. Il manque toujours le bâtiment le plus important qui se trouvait au bout de l'avenue : le château des Hohenzollern, détruit par le régime communiste en 1950. Faute d'argent, la reconstruction du Berliner Stadtschloss est sans cesse reportée.

LE QUARTIER DU SHOPPING : Friedrichstrasse
LE QUARTIER HISTORIQUE : l'île aux Musées
LE QUARTIER CHIC : Gendarmenmarkt
LE QUARTIER TOURISTIQUE : porte de Brandebourg

 ESSENTIELS

LA PORTE DE BRANDEBOURG/⊙1 : le symbole de la réunification allemande a été transformé en zone piétonne. C'est une belle balade à faire en fin de soirée, lorsque le quartier a retrouvé son calme (détails p. 96).

L'ÎLE AUX MUSÉES/⊙12 : l'ensemble regroupe cinq musées de grande qualité. C'est une oasis de calme au cœur de la ville (détails p. 100).

LE MÉMORIAL DE L'HOLOCAUSTE/⊙2 : l'architecte américain Peter Eisenmann a construit ici un gigantesque désert de stèles en souvenir de l'Holocauste (détails p. 97).

CHECKPOINT CHARLIE/⊙8 : l'ancien poste-frontière entre l'Ouest et l'Est pour les étrangers (et leurs espions) est devenu une attraction touristique (détails p. 99).

 *Confidentiels*

LA TERRASSE DE L'HOTEL DE ROME/♥26 : rien de tel pour avoir une vue imprenable sur Berlin dans une ambiance de luxe (détails p. 104).

L'EXPOSITION SUR LA STASI/⊙11 : en l'espace d'une heure, on découvre la perversité du système de surveillance de la police politique est-allemande (détails p. 100).

LA CANTINE DU PARLEMENT PRUSSIEN/ ⅓ 16 : on y déjeune aux côtés des députés de Berlin dans un bâtiment historique ! Et pour un prix modique (détails p. 102).

LE DEUTSCHE GUGGENHEIM/⊙10 : avec un peu de chance, on tombe sur une belle exposition dans cette filiale berlinoise de la Fondation Guggenheim (détails p. 99).

CAFE IM ZEUGHAUS/♥29 : Le salon de thé du Musée d'histoire allemande a une vue sur le jardin du Lustgarten (détails p. 105).

Am Weidendamm
Planckstr.
FRIEDRICHSTRASSE
Georgenstrasse
Dorotheer
Friedrichstrasse
Charlotten-
Spree
Reichstagufer
Neustädtische Kirchstr.
Dorotheenstrasse
25
Mittelstrasse
23 31
24 21
33
WILHELMSTRASSE
Dorotheenstr.
UNTER DEN LINDEN
UNTE
strasse
1 Pariser Platz
N18
10
BRANDENBURGER TOR
N35
Behrenstrasse
FRANZÖSICHE STRASSE
17
BEHREN-STR.
Glinkstrasse
Französichestrasse
19 20
32
2
Jägerstrasse
7
Hannah-Arendt-
Str.
34
N38
6
Taubenstrasse
18 28
STADTMITTE
MOHRENSTRASSE
Mauerstrasse
Mohrenstrasse
Kronenstrasse
EBERTSTRASSE
Vosstrasse
5
WILHELMSTRASSE
Leipziger Platz
LEIPZIGER STRASSE
FRIEDRICHSTRASSE
POTSDAMER PLATZ
Charlottenstrasse
STRESEMANNSTRASSE
16
11
Strasse
8
Niederkirchnerstrasse
Zimmerstrasse
WILHELMSTRASSE
3
4
KOCHSTRASSE
27
Ru
KOCHSTRASSE
200 m
Anhalterstrasse

94

ANHALTER BAHNHOF

HACKESCHER
MARKT
Ⓢ

⊙ 12 MUSEUMINSEL

Kupfergraben

strasse

30 ⚲

13 ⊙

14 ⊙   29 ⚲
        15 ⚲

Karl-Liebknecht Strasse

EN LINDEN

Oberwallstrasse

Niederlagstr.

Schlossplatz

Rathausstrasse

Spree

Breitestrasse

26

Jägerstrasse

🍴 22

Kurstrasse

USVOGTEI
PLATZ Ⓤ
Hausvogtei
Platz

Niederwallstrasse

GERTRAUDENSTRASSE

Fischer-insel

EIPZIGER   STRASSE

Ⓤ
SPITTELMARKT

Wallstrasse

Rossstrasse

Krausenstrasse

Schützenstrasse

Zimmerstrasse

Axel-Springer-Strasse

Seydelstrasse

Neue   Grünstrasse

Alte Jakobstrasse

TSCHKE-STR.

ORANIENSTRASSE

⊙ Visiter

🍴 À table

🍷 Autour d'un verre

🏷 Un peu de shop

🌙 Sortir (voir
    spécifiq

VISITER

Les monuments historiques sont très nombreux tout le long d' Unter den Linden, le boulevard qui mène à la porte de Brandebourg, symbole de la liberté retrouvée et de la réunification allemande. La visite à pied comprend notamment un arrêt à l' île aux Musées (le "Louvre" berlinois), à la "place des Gendarmes" (Gendarmenmarkt) et au mémorial de l' Holocauste.

1. PORTE DE BRANDEBOURG

Passage obligé d'une visite à Berlin, la porte de Brandebourg est le symbole de l'Allemagne réunifiée. Ce célèbre arc de triomphe inspiré des Propylées de l'Acropole d'Athènes fut érigé par l'architecte prussien Carl Gotthard Langhans entre 1789 et 1791 pour le roi Frédéric-Guillaume. Devant, sur la place de Paris (Pariser Platz), on a reconstruit de nombreux bâtiments à l'identique, comme ... qui accueille de nouveau les célébrités du monde entier. Au sud de la ...icains ont édifié une ambassade placée sous haute sécurité qui leur ...estations. La représentation diplomatique française a retrouvé son ...avant guerre, au nord-est de la place, avec une nouvelle ambassade ...ristian de Portzamparc.

⑤-Bahn Brandenburger Tor

2. MÉMORIAL DE L'HOLOCAUSTE

Le "Mémorial aux juifs assassinés d'Europe" a été construit en souvenir des six millions de juifs tués dans les camps de concentration. Il est devenu l'un des lieux les plus visités de la capitale. Cette forêt de stèles, parmi lesquelles on peut déambuler, a été conçue par l'Américain Peter Eisenmann. Aujourd'hui, les homosexuels assassinés par les nazis ont également un mémorial près du Reichstag. Un autre a été édifié en hommage aux Tziganes et une plaque commémorative rappelle depuis peu le destin des handicapés mentaux sous le régime hitlérien.

⚬⚬⚬ *Faire une balade tôt le matin lorsque l'endroit est encore calme.*

Denkmal für die ermordeten Juden Europas
Cora-Berlinerstrasse 1, 10117 • 26 39 43 36
www.stiftung-denkmal.de • mémorial 24h/24,
centre d'information (oct-mars) mar-dim 10h-19h,
(avr-sept) 10h-20h • **accès libre**
Ⓢ-Bahn Brandenburger Tor

3. MARTIN-GROPIUS-BAU

Cet ancien musée des Arts décoratifs, dont le bâtiment fut achevé en 1881, accueille aujourd'hui les plus prestigieuses expositions de la capitale sur tous les thèmes (de la photo à l'art contemporain, en passant par des rétrospectives). Classé monument historique depuis 1966, le Martin-Gropius-Bau a passé 28 ans à l'ombre du Mur qui était sous son nez.

Niederkirchnerstrasse 7,
10963 • 25 48 60 • www.
berlinerfestspiele.de • tlj sauf le
mar 10h-19h • **de 9 à 12 € selon
les expositions** • Ⓤ2 Potsdamer
Platz • Ⓢ-Bahn Anhalter Bahnhof

4. TOPOGRAPHIE DES TERRORS

GRA-TUIT

Situé entre le Musée juif et le mémorial de l'Holocauste, le centre de documentation sur la terreur nazie est construit sur l'ancien siège de la Gestapo. L'exposition sur la réintégration des criminels nazis dans la société allemande après la guerre est particulièrement instructive.

Niederkirchnerstrasse 8, 10963 • 25 45 09 50
www.topographie.de • tlj 10h-20h • **entrée libre**
Ⓤ2 Potsdamer Platz ou Ⓤ6 Kochstrasse
Ⓢ-Bahn Anhalter Bahnhof
ou Potsdamer Platz

5. WILHELMSTRASSE

Dans l'ancienne rue des ministères du IIIe Reich et de la chancellerie d'Hitler, il reste très peu de bâtiments nazis. Leur taille est impressionnante. On s'arrêtera devant le ministère des Finances (photo), à l'angle de la Leipzigerstrasse, entièrement restauré avec ses fresques communistes, qui fut le siège d'Hermann Göring (ministère de l'Air). L'édifice a également hébergé l'office de privatisation de la RDA, chargé de vendre les biens de l'État communiste.

Ⓤ2 Mohrenstrasse

6. BUNKER DU FÜHRER

Il n'existe plus ! Mais l'intérêt croissant des touristes depuis la sortie du film *La Chute* a fini par convaincre la mairie d'installer un panneau d'informations. Dynamité par les Soviétiques en 1947, le bunker de Hitler fut dégagé en 1988 lors de la construction d'immeubles neufs. Il n'en reste plus rien aujourd'hui. Il s'agissait surtout de démythifier le lieu. Les rumeurs affirmaient qu'un tunnel reliait ce bunker à l'aéroport de Tempelhof, situé à plusieurs kilomètres au sud.

···> *On peut voir le Führer au musée de Madame Tussauds (Unter den Linden 74 ; tlj 10h-18h ; entrée 20,95 € ; Ⓢ-Bahn Brandenburger Tor). Le Hitler en cire avait été victime d'un "attentat" (réussi cette fois) le lendemain de l'inauguration en juillet 2008.*

Angle In den Ministergärten et Gertrud-
Kolmar Strasse • Ⓤ2 Mohrenstrasse

7. GENDARMEN-MARKT

Elle est considérée comme la plus belle place de la ville. C'est aussi le plus bel exemple d'architecture néoclassique de Berlin. Les deux églises jumelles (française et allemande) ont été érigées pour les réfugiés français protestants après la révocation de l'édit de Nantes. Au milieu se dresse l'ancien Théâtre national du Schauspielhaus, l'un des plus beaux bâtiments construits par l'architecte Karl Friedrich Schinkel, devenu aujourd'hui le Konzerthaus, une salle de concert prisée, symbole phare de la culture berlinoise.

···> *Au nord de la place, le Französischer Dom, l'église française, accueille une exposition sur l'histoire des huguenots réfugiés à Berlin (mar-sam 12h-17h, dim 11h-17h ; tarifs plein/réduit 2/1 €). Explications en français.*

Ⓤ2 Stadtmitte

9. CHECKPOINT CHARLIE

C'est le seul endroit au monde où des chars américains et soviétiques se sont fait face pendant la guerre froide. L'ancien poste-frontière de Berlin, réservé aux étrangers, attire des touristes se faisant photographier pour 1 € à côté d'étudiants habillés en policiers est-allemands (les fameux "Vopo"). Les photos d'un soldat américain côté nord et d'un soldat soviétique côté sud figurent sur un grand panneau. Un centre d'information provisoire (Black Box) préfigure le musée consacré à la guerre froide dont l'ouverture est prévue en 2016/2017. Par ailleurs, le très touristique Mauermuseum (ouvert tlj de 9h-22h ; adulte/étudiant/7-18 ans 12,50/9,50/6,50 €, gratuit -6 ans) présente les tentatives d'évasion les plus spectaculaires et vend des "souvenirs du Mur".

····⟩ *Pour une explication mieux documentée, choisissez le Mémorial du mur de Berlin (p. 45).*

Black Box • Friedrichstrasse (à l'angle de la Zimmerstrasse) • www.bfgg.de • tlj 10h-18h • 5 €, gratuit le vendredi • Ⓤ6 Kochstrasse

8. BEBELPLATZ

Bebelplatz est tristement célèbre pour être le lieu où fut commis le premier autodafé nazi. Le 10 mai 1933, sur les injonctions de Goebbels, des étudiants jetèrent au feu 20 000 ouvrages considérés écrits par des auteurs comme "non-allemands", tels Albert Einstein, Sigmund Freud, Heinrich Heine, Franz Kafka, Karl Marx, Erich Maria Remarque, Stefan Zweig ou Bertolt Brecht. Au milieu de la grande place, devant l'université Wilhelm von Humboldt, un mémorial construit sous terre par l'artiste israélien Micha Ullman rappelle cet acte barbare.

····⟩ *Au sud de la place se trouve la cathédrale catholique Sainte-Edwige (Sankt-Edwige-Kathedrale).*

Ⓤ2 Hausvogteiplatz

10. DEUTSCHE GUGGENHEIM

La filiale berlinoise de la Fondation Guggenheim est hébergée par la Deutsche Bank, le premier établissement financier privé allemand. Les deux partenaires proposent environ quatre expositions annuelles d'une grande qualité. On a pu voir, notamment, des œuvres de l'Allemand Gerhard Richter, du peintre russe Kasimir Malevitch ou encore de l'artiste américain Jeff Koons.

····⟩ *Gratuit le lundi. Tlj, visite guidée gratuite à 18h (en allemand). Le mercredi, visite guidée à 13h suivie d'un buffet (9 €).*

Unter den Linden 13/15, 10117 • ☎ 20 20930 www.deutsche-guggenheim.de • tlj 10h- 20h, jeu 10h-22h tarif plein/réduit 4/3 €, gratuit -12 ans Ⓤ2 Stadtmitte ou Französische Strasse

11. EXPOSITION SUR LA STASI

GRA-TUIT

Le centre de documentation du gouvernement allemand nous éclaire, à travers des expositions temporaires, sur les méthodes de la police politique est-allemande pour espionner les citoyens. On y trouve tous les "outils" de la Stasi et de ses "indics", des micros aux uniformes jusqu'aux bocaux renfermant des morceaux de tissus imbibés des "odeurs" de personnes suspectes.

···❯ *Voir aussi le Stasimuseum (p. 173) et le "Palais des pleurs" (Tränenpalast), sorte de musée du quotidien à l'époque du Mur (Reichstagufer 17, sortie du ⑤-Bahn et ⑩-Bahn Friedrichstrasse).*

Informations und Dokumentationszentrum der BStU • Zimmerstrasse 90/91, 10117
23 24 79 51 • lun-sam 10h-18h • **entrée libre** • ⑥6 Kochstrasse

12. SIX ⅃⅃A MUSÉES – MUSEUMINSEL

L'île aux Musées, c'est un peu le "Louvre de Berlin". Il s'agit de cinq musées construits entre 1824 et 1930 sur une île de la Spree. La restauration complète de cet ensemble a débuté en 1997 et doit s'achever en 2015. Le **musée de Pergame (Pergamon Museum)** est le plus prestigieux d'entre eux. Il est consacré en grande partie à l'Antiquité, à l'art oriental et à l'art islamique. Le **Bode Museum** a rouvert en 2006 et rassemble des collections de sculptures (du Moyen Âge au XVIIIe siècle) et d'art byzantin. L'**Ancien Musée (Altes Museum)**, qui comprend une précieuse collection d'objets antiques, est considéré comme le chef-d'œuvre néoclassique du célèbre architecte prussien Karl Friedrich Schinkel. Achevé en 1830, c'est le plus ancien musée de la capitale. Son succès fut tellement grand que Berlin ouvrit un **Nouveau Musée (Neues Museum)** en 1859. Très endommagé pendant la guerre, il avait été laissé à l'abandon jusqu'à la fin des années 1980. Il présente aujourd'hui les collections égyptiennes. Quant à l'**Ancienne Galerie nationale (Alte Nationalgalerie)**, elle abrite l'une des plus importantes collections de peinture du XIXe siècle. On y trouve notamment des œuvres d'Édouard Manet, de Claude Monet, d'Auguste Renoir et d'Auguste Rodin.

Museumsinsel • 20 90 55 77 • www.museumsinsel-berlin.de • tlj 10h-18h
musée 8 € (Neues Museum 10 €), billet combiné 5 musées 14 €, expositions
temporaires soumises à des tarifs spécifiques • ⑤-Bahn Hackescher Markt

13. CATHÉDRALE DE BERLIN

L'empereur Guillaume II fit construire pour l'Église luthérienne cet édifice monumental entre 1894 et 1905 par l'architecte allemand Julius Carl Raschdorff. Très abîmée par les bombardements de la Seconde Guerre mondiale, la cathédrale (Berliner Dom) a été restaurée à partir de 1975 et rouverte seulement en 1993. Les Berlinois s'y rendent en masse pour la grande messe de la veillée de Noël. Dans la crypte en sous-sol, on peut voir les sarcophages des membres de la dynastie des Hohenzollern.

···▷ *Les plus téméraires peuvent emprunter l'escalier et ses 270 marches pour se rendre sous la coupole. La vue est imprenable sur tout Berlin.*

Berliner Dom • Am Lustgarten, 10178 • 20 26 91 36
www.berlinerdom.de • lun-sam 9h-20h, dim 12h-20h,
jusqu'à 19h oct-mars • tarif plein/réduit 7/4 €,
audioguide (allemand, anglais, espagnol
ou italien) 3 €, gratuit -18 ans
Ⓢ-Bahn Hackescher Markt

14. NEUE WACHE

La Neue Wache (nouvelle garde) abritait autrefois la garde royale. Sous le régime communiste, elle avait été transformée en monument dédié à la mémoire des victimes du "fascisme et du militarisme". À l'époque de la RDA, les touristes venaient ici pour photographier la relève de la garde. Le mémorial a été rebaptisé après la réunification par l'ancien chancelier Helmut Kohl. Il est dévolu aujourd'hui aux "victimes de la guerre et de la tyrannie".

···▷ *Dans la cour intérieure trône la statue réalisée par la sculptrice allemande Käthe Kollwitz, un soldat mort dans les bras de sa mère.*

Unter den Linden 4, 10117
tlj 10h-18h
entrée libre • Ⓢ-Bahn
Hackescher Markt
Bus 100, 200

15. MUSÉE D'HISTOIRE ALLEMANDE

Installé dans l'ancien arsenal où les Prussiens avaient entreposé plus de 50 000 canons et fusils (le "Zeughaus"), le musée retrace 2 000 ans d'histoire allemande d'une manière très conventionnelle, avec quelque 8 000 objets présentés sur 7 500 m². Les expositions provisoires ont lieu dans le bâtiment annexe construit en verre par le célèbre architecte sino-américain Ieoh Ming Pei.

···▷ *Les visiteurs du musée peuvent consulter leurs e-mails gratuitement au sous-sol de l'IM Pei Bau.*

Deutsches Historisches Museum
Unter den Linden 2, 10117 • 20 30 44 44
www.dhm.de • tlj 10h-18h • 8 €, gratuit -18 ans
Ⓢ-Bahn Hackescher Markt

À TABLE !

16. PARLEMENT PRUSSIEN

CANTINE

La cantine du parlement régional, situé dans le bâtiment de l'ancien parlement prussien, a été élue meilleure cantine de Berlin plusieurs années de suite. Elle est ouverte au grand public à partir de 13h (entrez sans demander l'autorisation, c'est à droite dans le grand hall) et propose, en self-service, des plats variés, copieux et sans prétention pour moins de 8 € (il y a deux prix, un pour les députés et le bourgmestre – le maire –, l'autre pour les "invités").

⟶ *Il faut emprunter un sas de sécurité mais nul besoin de pièce d'identité.*

Niederkirchnerstrasse 5, 10117
23250 • www.parlament-berlin.de
lun-ven 13h-15h • Ⓤ2 Potsdamer Platz
Ⓢ-Bahn Anhalter Bahnhof

18. GALERIES LAFAYETTE

BISTROT FRANÇAIS

Les gourmets et les nostalgiques de la cuisine française se donnent rendez-vous au sous-sol des Galeries de Berlin, pour déguster toutes les merveilles dont rêvent les expatriés : huîtres et champagne, plateau de fromages et petit bourgogne, soupe de poissons et verre de vin blanc... Les Allemands adorent ! C'est chic.

⟶ *Attention de ne pas être trop gourmand, car l'addition peut être salée.*

Friedrichstrasse 76-78, 10117
20 94 80 • www.galerieslafayette.de
lun-sam 10h-20h • Ⓤ2, Ⓤ6 Stadtmitte
ou Ⓤ6 Französische Strasse

17. BORCHARDT

FRANCO-ALLEMAND

C'est l'adresse la plus chic du quartier. Pas la moins chère, évidemment (plats 8-58 €). La cuisine est néanmoins très correcte ! Le style est très "parisien" avec des hauts plafonds et des grands piliers en marbre. C'était le repaire de l'ancien chancelier Schröder et de son ministre des Affaires étrangères, l'écolo Joschka Fischer. On y voit encore le Tout-Berlin. On paie donc le spectacle. Question d'envie !

Französische Strasse 47, 10117
81 88 62 62 • www.borchardt-catering.de
tlj à partir de 11h30 • Ⓤ2, Ⓤ6 Stadtmitte
ou Ⓤ6 Französische Strasse

19. MALATESTA

ITALIEN

Ce restaurant est idéal pour un déjeuner tranquille au coin de la place Gendarmenmarkt (le soir, le quartier est moins animé). On rencontre ici des managers, les gens des médias et de la culture. La cuisine est très correcte, variées et à des prix abordables (pâtes et poissons excellents). On peut choisir parmi les menus (10,50-17,50 €).

Charlottenstrasse 59, 10117 • 20 94 50 71
www.ristorante-malatesta.de • tlj 12h-minuit
Ⓤ2, Ⓤ6 Stadtmitte ou Ⓤ6 Französische Strasse

20 VAPIANO

FAST-FOOD ITALIEN

L'un des trois restaurants de cette chaîne allemande de fast-food de spécialités italiennes possède une adresse sur le boulevard Unter den Linden. Il est situé dans le passage commercial qui mène à Mittelstrasse. Du coup, on peut déguster en toute tranquillité un petit plat italien de qualité (pâtes, pizzas, salades 4-9,25 €) à l'abri de la cohue touristique de la grande artère qui mène à la porte de Brandebourg.

Mittelstrasse 51, 10117
50 15 41 00 • www.vapiano.com
lun-sam 11h-minuit, dim 11h-23h
Ⓤ6 ou Ⓢ-Bahn Friedrichstrasse

22. SUPPENBÖRSE

SNACK

À la Suppenbörse ("bourse des soupes"), on croise surtout les gens pressés du quartier de la gare de Friedrichstrasse. On y mange de très bonnes soupes de tous les horizons (françaises, africaines, chinoises...) à des prix raisonnables (grosse/petite 4,70 €/moins de 3 €). Idéal pour un déjeuner sur le pouce. Également desserts (très bon riz au lait!) et jus de fruits pressés.

Dorotheenstrasse 43, 10117
20 64 95 98 • www.suppenboerse.de
lun-ven 11h-18h, sam 12h-18h
Ⓤ6 ou Ⓢ-Bahn Friedrichstrasse

21. AIGNER

AUTRICHIEN-ALLEMAND

Situé au coin de la place Gendarmenmarkt, Aigner propose une cuisine très variée, dans une ambiance toute viennoise avec son mobilier Jugendstil (Art nouveau). On recommande les escalopes viennoises, le *Tafelspitz*, une spécialité autrichienne (sorte de pot-au-feu à base de veau), ou le canard du Brandebourg (Bauernente). Le prix des plats s'échelonne entre 18 et 42 €.

Französische Strasse 25, 10117
203 75 18 50 • www.aigner-gendarmenmarkt.de
tlj 12h-2h (service jusqu'à 23h30)
Ⓤ6 Französische Strasse

23. CHIPPS

VERY CHIC

CUISINE TENDANCE

Le slogan est clair: "*serious eating*", qu'on pourrait traduire par "on ne rigole pas avec la bouffe". Les fondateurs d'une des plus célèbres boîtes de nuit de Berlin (Cookie) ont créé ce restaurant, dans le nouveau style de Berlin-Est: tout beau, tout propre. Situé à côté du ministère des Affaires étrangères, le Chipps propose des plats à composer soi-même. On choisit donc sa viande ou son poisson et les ingrédients qui vont avec. Excellent rapport qualité/prix.

⟶ **À midi, le menu est à 8,50 € de 11h à 16h (entrées + plat végétarien).**

Jägerstrasse 35, 10117 • 36 444 588
www.chipps.eu • lun-ven à partir de 8h,
sam-dim à partir de 11h
Ⓤ2 Hausvogteiplatz

103

AUTOUR D'UN VERRE...

26.

24. CAFÉ EINSTEIN

CAFÉ-RESTAURANT

Ce café-restaurant autrichien du boulevard Unter den Linden est élégant et agréable avec ses banquettes en cuir, ses miroirs et ses lampes en forme de lampadaire. Quelques personnalités y ont laissé leur signature dans le livre d'or. On peut commander un café (2,80 €) avec un Apfel-strudel, le gâteau traditionnel autrichien, mais aussi déguster une escalope viennoise. Prix du quartier : verre de vin à partir de 3,50 €, bière (30 cl) 3,50 €.

···> *Le mieux est de venir à la belle saison pour s'asseoir en terrasse.*

Unter den Linden 42, 10117 • 204 36 32
www.einsteinudl.com
tlj 7h-22h
Ⓢ-Bahn Brandenburger Tor

25. WINDHORST

BAR À COCKTAILS

Pas évident d'ouvrir un bar dans ce quartier d'affaires. En plus, l'entrée n'est pas très visible. Sans la petite enseigne éclairée "Bar", on pourrait presque le rater en passant devant. Le propriétaire a donné son nom à cet établissement très cosy. Günter Windhorst, *himself*, est souvent derrière le bar pour préparer de nouvelles créations.

···> *Les cocktails sont servis avec des amuse-gueules.*

Dorotheenstrasse 65,
10117 • 20 45 00 70
lun-ven à partir de 18h,
sam à partir de 21h
Ⓤ6 ou Ⓢ-Bahn
Friedrichstrasse ou
Ⓢ-Bahn Brandenburger
Tor • Tram M1, 12

26. HOTEL DE ROME

VERY CHIC

TERRASSE SUR LE TOIT

Le café coûte 7 €... Mais nous sommes dans l'un des hôtels les plus luxueux et les plus chics de Berlin. La dépense n'est pas superflue au regard de la vue depuis le toit de l'Hotel de Rome. L'endroit donne sur la Bebelplatz, l'Opéra et l'université Humboldt. Attention au champagne : la bouteille de Moët & Chandon coûte plus de 300 € !

···> *Demandez à l'accueil l'accès à la terrasse (il faut un badge pour y parvenir par l'ascenseur).*

Hotel de Rome,
Behrenstrasse 37, 10117
460 60 90
www.hotelderome.com
tlj à partir de 10h
Ⓢ-Bahn Hackescher Markt
Ⓤ2 Hausvogteiplatz

27. TAZ-CAFÉ **VERY CHEAP**

CAFÉ-SNACK

Le café du journal alternatif allemand est installé juste en bas des bureaux de la rédaction. Il est surtout fréquenté par les journalistes de la rédaction après les bouclages et par les écolos du monde politique, comme Daniel Cohn-Bendit. Avec un peu de chance, vous tomberez sur une conférence improvisée. On peut aussi y déjeuner.

Rudi-Dutschke-Strasse 23, 10969 25 90 20 • www.taz.de/zeitung/tazcafe lun-ven 8h-20h • U6 Kochstrasse

29. CAFÉ IM ZEUGHAUS

SALON DE THÉ

Installé dans le bâtiment du musée de l'Histoire allemande, avec vue sur le Lustgarten, la Berliner Dom et la tour de télévision, c'est l'endroit idéal pour se régaler d'une pâtisserie allemande dans une atmosphère "historique", loin du bruit du boulevard et à bon prix. Service impeccable.

Unter den Linden 2, 10117 • 20 64 27 44 www.dhm.de • tlj 10h-18h • S-Bahn Hackescher Markt • U2 Hausvogteiplatz

28. NEWTON BAR **VERY CHIC**

BAR TENDANCE

Voilà un bar plein de style, décoré de grandes photos de nu du photographe Helmut Newton, Berlinois d'origine. On est assis confortablement dans de larges fauteuils de cuir rouge. C'est un endroit où l'on aime se montrer jusqu'à tard dans la nuit. Excellents cocktails des Caraïbes.

Large choix de cigares pour les amateurs.

Charlottenstrasse 57, 10117 • 20 29 54 21 • www. newton-bar.de • tlj 10h-3h, jeu-sam jusqu'à 4h U2 Stadtmitte ou Französische Strasse

30. THEODOR TUCHER

CAFÉ

Ce café-restaurant est situé dans un endroit exceptionnel puisque sa terrasse donne sur la porte de Brandebourg et la Pariser Platz. Joli design intérieur avec un coin bibliothèque. Si le coin est fréquenté par les visiteurs de passage, le Theodor Tucher n'est pas un "piège à touristes".

Les diplomates viennent souvent y dîner. L'ambassade des États-Unis est en face.

Pariser Platz 6a, 10117 • 22 48 94 63 tlj 7h-1h • www.theodortucher.de S-Bahn et U55 Brandenburger Tor, Bus 100, 200

31. DUSSMANN

CULTURE

C'est le grand disquaire-libraire de la capitale, ouvert jusqu'à minuit, et le plus grand d'Allemagne avec ses 7 000 m² de surface de vente. Situé à deux pas de la gare de Friedrichstrasse, Dussmann propose notamment un rayon de CD classique au sous-sol, unique en Europe. On peut tout écouter sur les bornes et les vendeurs sont très compétents. On trouve aussi un rayon papeterie et un grand rayon de partitions.

···▶ *Se rendre au dernier étage pour voir la rue à travers les baies vitrées.*

Friedrichstrasse 90, 10117 • 20 25 11 11 • www.kulturkaufhaus.de • lun-sam 10h-minuit
Ⓤ6 ou Ⓢ-Bahn Friedrichstrasse

32. ACH BERLIN

SOUVENIRS

Il existe aussi des boutiques de souvenirs de qualité! "Ach Berlin" (qu'on pourrait traduire par: "Oh la la Berlin") en fait partie. Elle se trouve sur la place Gendarmenmarkt et propose sur deux étages des centaines d'objets à l'effigie de Berlin et à tous les prix. Ces produits sont conçus en majorité par des designers berlinois. Idéal pour un cadeau de dernière minute.

Markgrafenstrasse 39, 10117 • 92 12 68 80
www.achberlin.de • lun-sam 10h-19h
Ⓤ2, Ⓤ6 Stadtmitte

33. BERLIN STORY

LIBRAIRIE SPÉCIALISÉE

Située sur le grand boulevard Unter den Linden, cette grande librairie spécialisée sur Berlin offre également une grande variété de souvenirs de qualité. On y trouve plus de 2 500 ouvrages référencés et traitant exclusivement de Berlin.

⋯⟩ *Certains ouvrages sont édités en plusieurs langues, notamment en français.*

Unter den Linden 40, 10117 • 20 45 38 42
www.berlinstory.de • tlj 10h-20h
Ⓤ6 ou Ⓢ-Bahn Friedrichstrasse

34. QUARTIER 206

GRAND MAGASIN

Après le Quartier 205, qui concentre des grandes marques de mode et de cosmétiques, on passe au niveau supérieur du luxe dans le Quartier 206 et son atmosphère très feutrée. On trouve ici surtout des marques de luxe.

⋯⟩ *Le Quartier 205 est juste à côté (Friedrichstrasse 67-70 ; 26 39 64 910 ; www. theq.eu ; lun-sam 10h-20h).*

Friedrichstrasse 71, 10117 • 20 94 68 00 • www.quartier206.com
lun-ven 11h-20h, sam 10h-18h • Ⓤ2, Ⓤ6 Stadtmitte
ou Ⓤ6 Französische Strasse

Tiergarten

AU CŒUR DU POUVOIR

Situé autrefois le long du Mur, le quartier était celui des cafés de désespérés, des garages automobiles et des campements de hippies. Wim Wenders avait très bien résumé l'atmosphère dans son film *Les Ailes du désir* : on ne savait plus vraiment où l'on était dans cette ville détruite et divisée! Aujourd'hui, tout a changé. Le Tiergarten abrite, au nord du parc, le cœur du pouvoir politique, le siège du gouvernement de la première puissance économique européenne! Au sud, les ambassades et un nouveau quartier high-tech, sorti de terre sur l'ancien no man's land du Mur : la Potsdamer Platz.

LE QUARTIER DES AFFAIRES
ET DE LA CULTURE : autour de Potsdamer Platz
LE QUARTIER DU POUVOIR : autour du Reichstag
LE QUARTIER HISTORIQUE : le long de l'avenue du 17-Juin

ESSENTIELS

LE REICHSTAG/☉1 : siège de l'Assemblée fédérale (Bundestag), il a été reconstruit. Une gigantesque coupole de verre accessible au public lui a été ajoutée (détails p. 112).

LA POTSDAMER PLATZ/☉9 : le nouveau quartier de Berlin, sorti de terre dans les années 1990, est une étrange rencontre entre le monde des affaires et de la culture (détails p. 114).

L'AVENUE DU 17-JUIN/☉6 : l'axe routier qui fut élargi par l'architecte d'Adolf Hitler, Albert Speer, donne la mesure de cette ville huit fois plus grande que Paris intra-muros (détails p. 113).

Confidentiels

LE CIMETIÈRE DES INVALIDES/☉5 : perdu derrière la gare centrale, l'Invalidenfriedhof est un concentré d'histoire à lui seul avec ses généraux prussiens et ses restes du Mur (détails p. 113).

LA PHILHARMONIE/☾36 : ce n'est pas si cher ni si difficile de trouver une place dans cette salle légendaire (détails p. 192).

LE TIERGARTEN/☉7 : rien ne vaut une grande balade dans ce merveilleux parc plein de surprises avec son Café am Neuen See (détails p. 114).

LA HAMBURGER BAHNHOF/☉4 : ce beau musée installé dans l'ancienne "gare de Hambourg" saura convaincre même les plus réticents à l'art moderne (détails p. 113).

RATHENOWERSTR.

Ⓤ TURMSTRASSE

ALT-MOABIT

STROMSTR.

Thomasiusstr.

Calvinstrasse

Spenerstrasse

PAULSTRASSE

LESSING STR.

29 🍷
BELLEVUE
Ⓢ

Lünebur

Bartningallee

Ⓤ HANSAPLATZ

ALTONAER STRASSE

Jo

Bachstrasse

Klopstockstr.

SPREEWEG

33 🛍
TIERGARTEN

32 🛍 Ⓢ

STRASSE DES 17. JUNI

◉ 6

HOFJÄGERALLEE

Große Sternalle

Müller-Breslau Str.

Grosser Weg

26 🍷

18 🍴

TIERGARTEN

STÜLERSTR.

KLINGELHÖFERSTR.

Köbisstr.

BUDAPESTER STR.

Lützowufer

Wichmannstr.

Lützowstras.

Lützow-
platz

31 🍷
N7

KURFÜRSTEN

24 🍴

STRASS

◉ Visiter

🍴 À table

🍷 Autour d'un verre

🛍 Un peu de shopping

🌙 Sortir (voir chapitre
spécifique p. 181)

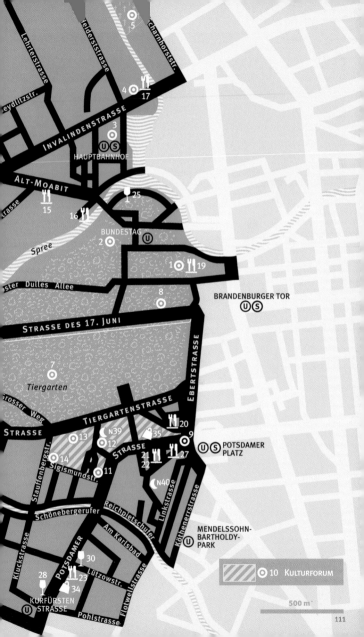

Lehrterstrasse

Seydlitzstr.

Invalidenstrasse

Telfersstrasse

Scharnhorststr.

5

4 17

3

U S

HAUPTBAHNHOF

ALT-MOABIT

15

16

25

BUNDESTAG

2

U

1 19

8

Spree

...ster Dulles Allee

STRASSE DES 17. JUNI

BRANDENBURGER TOR

U S

7

Tiergarten

...rosser Weg

TIERGARTENSTRASSE

20

STRASSE

STRASSE

13

N39

12

35

9

U S POTSDAMER PLATZ

14

21

22

27

Sigismundstr.

11

Staufenbergstr.

N40

Schönebergerufer

Reichpietschufer

Am Karlsbad

Linkstrasse

Köthenerstrasse

Ebertstrasse

MENDELSSOHN-BARTHOLDY-PARK

U

Kluckstrasse

Potsdamer

30

Lützowstr.

28

34

23

KURFÜRSTEN STRASSE

U

Flottwellstrasse

Pohlstrasse

KULTURFORUM
10

500 m

VISITER

Une balade rafraîchissante dans le grand parc du Tiergarten reste inoubliable. Le parc permet d'accéder au quartier gouvernemental au nord, avec la chancellerie, le Reichstag et la nouvelle gare centrale. Au sud, on débouche sur le nouveau quartier de la Potsdamer Platz, la Philharmonie et les ambassades.

2. CHANCELLERIE

Située en face du Reichstag, la chancellerie (siège du bureau d'Angela Merkel) a été conçue par l'architecte berlinois Axel Schultes et inaugurée le 2 mai 2001 par l'ex-chancelier Gerhard Schröder. Surnommée la "machine à laver" en raison de ses énormes hublots, elle est intégrée dans un ensemble de bâtiments fédéraux qui longent la Spree. Au nord-est se trouve l'ambassade suisse, le seul bâtiment ayant survécu aux bombardements dans ce quartier. À l'époque, Helmut Kohl avait tenté de déloger les Suisses de leur représentation, car leur bâtiment et leur drapeau étaient à son goût prédominants à côté de la chancellerie.

GRA-TUIT

1. REICHSTAG

Restauré par l'architecte britannique Norman Foster, qui l'a coiffé d'une spectaculaire coupole de verre, le Reichstag est l'un des monuments les plus appréciés de la capitale. Brûlé en 1933 dans des circonstances jamais éclaircies, emballé par l'artiste Christo en 1995 (un grand événement!), il abrite aujourd'hui le Bundestag (l'Assemblée fédérale). L'accès au Reichstag est seulement autorisé pour la coupole et le toit-terrasse (restaurant panoramique; voir p. 118), que l'on gagne par un ascenseur.

restaurant panoramique; voir p. 118

····▷ *Pour des raisons de sécurité, une préinscription est obligatoire. Mieux vaut la faire sur Internet (www.bundestag.de, en français) au moins trois jours à l'avance pour éviter la formalité le jour même (l'entrée n'est accordée que deux heures après). N'oubliez pas votre pièce d'identité.*

Platz der Republik 1, 11011 • 227 32 152
ou 227 35 908 • www.bundestag.de
tlj 8h-minuit (dernière admission 23h)
entrée libre • Ⓤ55 Bundestag

····▷ *Fermé au public. Belle vue d'ensemble depuis le pont Moltkebrücke ou la rive nord de la Spree, avec la gare centrale au nord.*

Bundeskanzleramt
Willy Brandt Strasse 1, 10557
Ⓤ55 Bundestag

3. HAUPTBAHNHOF – GARE CENTRALE

Cette gigantesque cathédrale de verre et d'acier est construite au milieu d'un désert. En attendant que les projets immobiliers se réalisent tout autour, on a encore l'impression de débarquer ici au milieu d'un champ. Inaugurée en grande pompe en 2006 avant la Coupe du monde de football, la gare centrale de Berlin accueille plus de 300000 voyageurs par jour. Ce fut le dernier des "grands chantiers" de la réunification dans la capitale allemande.

S-Bahn Hauptbahnhof

4. HAMBURGER BAHNHOF – MUSÉE

Cette gare construite en 1847 pour se rendre à Hambourg a été transformée en musée d'art contemporain en 1996. Les expositions sont surtout dédiées aux arts plastiques, au design, à la musique et à la vidéo. Une aile entière accueille les collections Friedrich Christian Flick, Marx et Marzona avec, entre autres, des œuvres de Joseph Beuys, Andy Warhol ou Anselm Kiefer. La nuit, on repère le musée de loin grâce à un éclairage extérieur aux néons de couleur.

⋯⋗ *Samedi et dimanche à midi, visite guidée gratuite en anglais.*

Hamburger Bahnhof – Museum für Gegenwart
Invalidenstrasse 50-51, 10557 • 3978 3411
www.hamburgerbahnhof.de • mar-ven 10h-18h,
sam 11h-20h, dim 11h-18h • tarif plein/réduit
12/6 €, gratuit -18 ans • S-Bahn Hauptbahnhof

5. CIMETIÈRE DES INVALIDES

Légèrement excentré, l'Invaliden-friedhof est néanmoins l'un des endroits les plus intéressants de Berlin. Il rassemble à lui seul les grands chapitres de l'histoire de Berlin. On y trouve les tombes de généraux prussiens, mais aussi quelques restes du Mur. En effet, la ligne de démarcation passait par ce paisible cimetière. Quelques pans de mur de la partie est (plus petits) sont encore visibles. Notez la vue sur l'ancien port industriel, un gigantesque terrain vague derrière la gare centrale en proie aux constructions nouvelles.

Invalidenfriedhof
Scharnhorststrasse 33, 10115
tlj 7h-21h30 (7h-18h30 oct-15 mars)
S-Bahn Hauptbahnhof

6. AVENUE DU 17-JUIN

Élargie par l'architecte nazi Albert Speer, l'avenue du 17-Juin (Strasse des 17. Juni) coupe le grand parc du Tiergarten d'est en ouest. Le plus grand défilé de musique techno, la Love Parade, avait lieu autrefois sur cette avenue. On trouve en son milieu la colonne de la Victoire (Siegessäule), qui célèbre les victoires contre les armées danoises (1864), autrichiennes (1866) et françaises (1870-1871).

⋯⋗ *Monter les 285 marches de la colonne de la Victoire : du haut de ses 50 mètres, la vue sur le Tiergarten et l'axe de l'avenue est superbe.*

Siegessäule • Grosser Stern 1 • 391 29 61 • lun-dim 10h-18h (nov-mars : lun-ven 9h30-18h30,
sam-dim 9h30-19h) • tarif plein/réduit 3/2,50 € • 🚌9 Hansaplatz ou S-Bahn Bellevue

7. TIERGARTEN

Une grande balade s'impose – à pied ou à vélo – dans ce merveilleux parc s'étirant sur 3 km de long et 1 km de large en plein milieu de la ville. On y est surpris tantôt par une nature débordante, avec ses lacs et ses jardins fleuris, tantôt par ses monuments historiques, comme le château de Bellevue (résidence du président fédéral allemand ; fermé au public), palais néoclassique datant de 1785. Laissez-vous guider par votre instinct dans cet ancien domaine de chasse du XVIIe siècle.

Multiples accès possibles
Ⓢ-Bahn Brandenburger Tor, Bellevue, Tiergarten ou Potsdamer Platz

8. MÉMORIAL SOVIÉTIQUE

GRA-TUIT

Situé dans l'ancienne partie ouest de la ville, c'est le plus connu des trois mémoriaux soviétiques de la capitale. Construit avec les blocs de marbre de la chancellerie de Hitler par des travailleurs forcés allemands, il a ouvert ses portes dès le 11 novembre 1945. Ici reposent 2 000 soldats de l'Armée rouge. Les deux chars T34 exposés seraient les premiers à avoir libéré la ville. Les deux canons seraient les derniers à avoir tiré sur Berlin. Si le mémorial est en excellent état, c'est parce que l'Allemagne s'est engagée en 1992 à restaurer à ses frais tous les monuments soviétiques sur son territoire.

···⟩ *Accès permanent, gratuit.*
Sowjetisches Ehrenmal • Strasse des 17. Juni, 10623
Ⓢ-Bahn Brandenburger Tor

9. POTSDAMER PLATZ

La sortie de terre de ce nouveau quartier d'affaires, situé en partie sur l'ancienne frontière, a été la plus grande attraction de la ville pendant des années. Conçue par les plus grands architectes de la planète (dont l'Italien Renzo Piano pour la Debis-Haus du quartier Daimler), la Potsdamer Platz est aujourd'hui un centre d'affaires, de commerce et de tourisme, un peu comme elle le fut dans les années 1920. Le Festival du film international de Berlin (Berlinale) se déroule chaque année dans le quartier, au Berlinale Palast, place Marlene-Dietrich.

···⟩ *Le chapiteau lumineux du Sony Center (voir p. 123), dessiné par l'Américain Helmut Jahn, est l'un des symboles du "nouveau Berlin".*
Ⓤ2 ou Ⓢ-Bahn Potsdamer Platz

10. KULTURFORUM

Le Kulturforum est né de la volonté de Berlin-Ouest de créer un haut lieu de la culture juste devant le Mur. Ce complexe architectural abrite toute une série d'édifices culturels dont la **Philharmonie**, la **Gemälde Galerie** (Pinacothèque), la **Neue Nationalgalerie** (art moderne du XXe siècle) et le **Kunstgewerbemuseum** (arts décoratifs) – les trois derniers sont développés ci-après. L'ensemble jouxte aujourd'hui la Potsdamer Platz qui tente difficilement de s'intégrer au Kulturforum pour former un ensemble.

···⟩ *La plupart des établissements culturels du Kulturforum sont fermés le lundi.*
www.kulturforum-berlin.com
266 42 30 40 • mar-ven 10h-18h, jeu jusqu'à 22h, sam-dim 11h-18h
entrée de 8 à 12 € selon les expositons • Ⓤ2 ou Ⓢ-Bahn Potsdamer Platz

VISITER I À TABLE I UN VERRE I SHOPPING

11. NEUE NATIONALGALERIE

Ouvert en 1968, ce bâtiment très lumineux est un chef-d'œuvre de Ludwig Mies van der Rohe, directeur du Bauhaus entre 1930 et 1933. La Neue Nationalgalerie accueille des expositions temporaires d'envergure internationale. Au sous-sol, l'exposition permanente rassemble des œuvres expressionnistes (Edvard Munch), surréalistes (Miró, Dalí, Max Ernst...) ou cubistes (Pablo Picasso, Juan Gris).

⋯▸ *Sur place également : très belle boutique de souvenirs-librairie et un café.*

Potsdamer Strasse 50, 10785
266 42030 40 • www.smb.museum • mar-ven
10h-18h, jeu 10h-22h, sam-dim 11h-18h
tarif plein/réduit 8/4 €
Ⓤ2 Mendelssohn-Bartholdy-Park (+ 15 min à pied)
Bus 200 (meilleure option)

12. MUSÉE DES HOMOSEXUELS

Le Schwulesmuseum, installé depuis le printemps 2013 dans une ancienne imprimerie, propose une exposition permanente consacrée à l'histoire de l'homosexualité. Une brochure en anglais et en espagnol est disponible (la version française serait en cours de préparation). Le musée organise également de nombreuses expositions temporaires.

Schwulesmuseum • Lützowstrasse 73, 10961
69 59 90 50 • www.schwulesmuseum.de
tlj sauf mar 14h-18h, sam 14h-19h
tarif plein/réduit 6/4 € • Ⓤ6, Ⓤ7 Mehringdamm
ou Ⓤ7 Gneisenaustrasse

13. MUSÉE DES ARTS DÉCORATIFS

Cet ensemble réalisé par l'architecte Rolf Gutbrod héberge l'un des plus importants musées d'Allemagne consacré aux arts décoratifs. Sa collection couvre une période qui s'étend du Moyen Âge à nos jours. La plus belle pièce est le trésor des Guelfes (Welfenschatz), un reliquaire provenant de la cathédrale de Brunswick et contenant les reliques de saints. Le reste de la collection (mobilier à travers les siècles, bijoux, porcelaines) est exposé depuis mai 2004 au château de Köpenick.

⋯▸ *Réouverture prévue au printemps 2014.*

Kunstgewerbemuseum
Matthäikirchplatz 4-6, 10785
266 42 30 40 • www.smb.museum
mar-ven 10h-18h, sam-dim 11h-18h
tarif plein/réduit 8/4 €, gratuit
-18 ans • Bus 200

14. PINACOTHÈQUE

La pinacothèque de Berlin accueille aujourd'hui l'une des collections de peintures européennes les plus importantes du monde. Elle s'étend du XIIIe au XVIIIe siècle. On peut y admirer notamment des chefs-d'œuvre de Botticelli, Van Eyck, Bruegel, Dürer, Raphaël, Rembrandt, Rubens ou Vermeer.

Gemäldegalerie
Stauffenbergstrasse 40, 10785
266 42 30 40 • www.smb.museum
mar-ven 10h-18h, jeu 10h-22h,
sam-dim 11h-18 h • tarif plein/
réduit 8/4 €, gratuit -18 ans
(audioguide en français compris
dans le billet) • Bus 200

À TABLE !

VERY CHIC

15. PARIS MOSKAU

GRANDE CUISINE

Cet étrange restaurant ressemble à une petite gare perdue au milieu de nulle part. Situé entre la gare centrale et la chancellerie, le Paris-Moskau nous donne le sentiment d'être en banlieue de Berlin alors que nous sommes au cœur du pouvoir. La cuisine et les vins sont de haut vol pour un excellent rapport qualité/prix (plats environ 25 €, menus 41-85 €).

➠ *Le ministère de l'Intérieur était en construction en 2012 derrière le restaurant. L'ambiance pourrait donc changer.*

Alt-Moabit 141, 10557
394 20 81 • lun-ven 12h-15h et
18h-minuit • sam-dim 18h-minuit
Ⓢ-Bahn Hauptbahnhof

16. ZOLLPACKHOF

BAVAROIS

Situé en face de la chancellerie, c'est un refuge de verdure dans le quartier gouvernemental. La taille du marronnier dans ce *biergarten* de 800 places est impressionnante! Ouverte en 1685 par le Français Ménard, la "Ménardie" était autrefois le lieu de rencontre des huguenots chassés par la révocation de l'édit de Nantes. Il fut abandonné pendant la guerre froide. Cuisine sans prétention. On y va surtout pour l'ambiance et pour prendre une bière avec un bretzel (7,50 € la chope de 1 l!).

➠ *Formule déjeuner pour 8,90 € avec boisson non alcoolisée.*

Elisabeth-Abegg Strasse 1, 10557 • 330 99 720
www.zollpackhof.de • tlj à partir de 11h
Ⓢ-Bahn Hauptbahnhof

17. SARAH WIENER

AUTRICHIEN

La célèbre cuisinière autrichienne a ouvert une filiale dans une aile du musée d'art contemporain Hamburger Bahnhof (p. 113). La cuisine est de bonne qualité et tous les plats sont bio (plats 13-22 €). L'atmosphère rappelle celle d'un café viennois, avec un coin bibliothèque et une terrasse l'été pour déjeuner au bord de l'eau. Très lumineux.

→ *On peut se rendre au café-restaurant sans passer par le musée.*

Invalidenstrasse 50-51, 10557 • 70 71 36 50
www.sarahwieners.de • mar-ven 10h-18h,
sam 11h-2oh, dim 11h-18h
S-Bahn Hauptbahnhof

SELF EN PLEIN AIR

On se croirait au bord d'un lac à Munich. Mais nous sommes dans le parc du Tiergarten, entourés de marronniers, avec une bière et des bretzels sur la table ou assis dans un transat. La cuisine est très simple, très correcte et les prix raisonnables pour un tel endroit (pizzas de 9 à 13,80 €). Dès les premiers rayons de soleil, le service est assuré à l'extérieur (les places se font rares le week-end).

→ *On peut louer une barque pour faire un tour sur le lac (5/10 € la demi-heure/l'heure, contre caution – clés, carte d'identité, etc.) ; demandez au comptoir du restaurant.*

Lichtensteinallee 2, 10787 • 254 49 30 • lun-ven à partir de 8h, sam-dim à partir de 9h
S-Bahn Tiergarten ou Zoologischer Garten

19. KÄFER

VERY CHIC

RESTAURANT PANORAMIQUE

Parmi les restaurants panoramiques de Berlin, celui du Reichstag est sans doute le meilleur (plats 9,50-29,50 €). Autrefois, on ne voyait que des grues depuis la terrasse. Aujourd'hui, c'est tout le centre de Berlin qui s'ouvre à nous. Grandiose! On peut venir à l'heure du "Cafe-Kuchen" (café servi avec une part de gâteau à la crème) vers 16h.

⟶ Pour accéder au restaurant, il faut vous préinscrire auprès du Bundestag pour accéder à la coupole (voir page 112). Par ailleurs, il est recommandé de réserver au 22 62 99 33 ou par courriel à kaeferreservierung.berlin@feinkostkaefer.de.

Platz der Republik 1, 11011 • 22 62 99 33 • www.feinkost-kaefer.de
tlj 9h-16h30 et 18h30-minuit • Ⓑ55 Bundestag ou Ⓢ-Bahn Brandenburger Tor

20. BRASSERIE DESBROSSES

VERY CHIC

FRANÇAIS

On entre par le Ritz-Carlton, on tourne à gauche dans l'entrée... et nous voilà dans une brasserie de grand luxe! Le menu business est à 14 € (plats + boisson). On peut naturellement se rabattre sur la carte, mais les prix sont nettement supérieurs.

⟶ Tous les dimanches, la brasserie propose un brunch de 12h à 15h avec huîtres, homard, fromages, crêpes et champagne (88 €).

Potsdamer Platz 3 (Beisheim Center), 10785 • 33 777 6341 • www.desbrosses.de • lun-dim 11h30-23h
Ⓤ2 ou Ⓢ-Bahn Potsdamer Platz

21. QIU

VERY CHEAP

INTERNATIONAL

Situé en face du Sony Center, au 1er étage du Mandala Hotel (prendre le petit escalier en face de la réception), le Qiu est l'adresse idéale pour un déjeuner tranquille dans ce quartier agité. Pour 14 €, on vous sert un menu comprenant une entrée (soupe ou salade), un plat et une boisson (non alcoolisée) et un café, tout cela dans l'ambiance lounge d'un hôtel de luxe. Très bonne cuisine. Le service est assuré par des apprentis en hôtellerie. Ouvert seulement à l'heure du déjeuner.

⟶ Le Qiu est aussi un bar à cocktails ouvert jusqu'à tard dans la nuit. Cartes de crédit acceptées.

Potsdamer Strasse 3, 10785
59 00 00 00 • www.qiu.de
déj lun-ven 12h-15h, bar dim-mer jusqu'à 1h, jeu-sam jusqu'à 3h
Ⓤ2 ou Ⓢ-Bahn Potsdamer Platz

22. FACIL **VERY CHIC**

GRANDE CUISINE

Au 5e étage de l'hôtel Mandala, le Facil est le rendez-vous des gastronomes de Berlin. Sur une terrasse abritée d'une verrière, on pourra déguster les nouvelles inventions du chef, créées au gré de ses envies. Au déjeuner, les prix sont raisonnables : la formule permet de prendre un, deux ou trois plats (19/29/39 €). Le soir, il faut compter entre 22 et 52 € le plat.

Potsdamer Strasse 3, 10785
590 05 1234 • www.facil.de
lun-ven 12h-15h et à partir de 19h
(fermeture annuelle mi-juil à mi-
août et début jan) • Ⓤ2 ou Ⓢ-Bahn
Potsdamer Platz

23. JOSEPH ROTH-DIELE **VERY CHEAP**

ALLEMAND

Dans une atmosphère de salon du XIXe siècle (photos de famille en noir et blanc aux murs et quotidiens à disposition), ce restaurant est l'un des lieux les plus authentiques de Berlin. En effet, il est rare de trouver une bonne cuisine familiale allemande avec de vrais *Spätzle* (pâtes à base de farine, d'œufs, de sel et d'eau). Le midi, tout va très vite. Le dessert sur le comptoir est en self-service. On paie directement à la caisse. Le soir, c'est plus calme.

⤳ *Plats du jour à 3,95 €. Les autres plats vont jusqu'à 9,95 €.*

Potsdamer Strasse 75, 10785 • 26 36 98 84
www.joseph-roth-diele.de • lun-ven
10h-minuit • Ⓤ1 Kurfürstenstrasse

24. CAFÉ EINSTEIN **VERY CHIC**

AUTRICHIEN

Installé dans une superbe villa à l'abri du bruit, le café Einstein est l'un des rares restaurants de la capitale dotés d'une classe "naturelle". Plusieurs filiales ont ouvert dans Berlin, mais elles n'ont pas la même atmosphère. Nous sommes ici dans la maison mère ! Le personnel est très compétent. On sert le déjeuner à partir de 11h (plats du jour 10,90-13,50 €). Le soir, la cuisine reste ouverte jusqu'à 23h (plats 18-24 €).

⤳ *Le bar lounge "Lebensstern" à l'étage ferme à 1h (cocktails à partir de 8,50 €).*

Kurfürstenstrasse 58, 10785 • 261 50 96 • www.cafeeinstein.com • tlj 8h-1h
Ⓤ1 Kurfürstenstrasse ou Ⓤ4 Nollendorfplatz

AUTOUR D'UN VERRE...

25.   26.

25. CAPITAL BEACH

BAR DE PLAGE
Autrefois, la rivière était surveillée par la police est-allemande. La moindre tentative d'évasion à la nage était réprimée par des tirs. Aujourd'hui, les chaises longues ont remplacé les barbelés. Le touristique Capital Beach est l'incarnation même du Berlin des années 2000, celui du "farniente bobo" en plein air (600 places). Plus de 60 cocktails à la carte. Boissons sans alcool à partir de 1,50 €, pinte à partir de 3 €.
Ludwig-Erhard-Ufer, 10557 • 0163 565 41 22
www.capital-beach.eu
tlj à partir de 10h,
fermé oct-fév
Ⓢ-Bahn Hauptbahnhof

26. SCHLEUSENKRUG

BIERGARTEN
Après une balade au parc du Tiergarten, on peut s'arrêter dans cette auberge conviviale pour se détendre autour d'un verre ou profiter d'un concert. Il n'est pas rare d'y rester jusqu'à tard dans la nuit.
De novembre à avril, c'est fermé le soir !
Müller-Breslau-Strasse, 10623 • 313 9909
www.schleusenkrug.de
tlj à partir de 10h (été), lun-ven 11h-18h
et sam-dim 10h-19h (nov à mi-mars)
Ⓢ-Bahn Tiergarten

27. PANORAMAPUNKT

BISTROT PANORAMIQUE
L'ascenseur qui mène en haut de la tour panoramique de Potsdamer Platz est, selon le constructeur, le plus rapide d'Europe. En vingt secondes, vous êtes propulsé sur la terrasse à 90 m de hauteur avec une vue imprenable sur tout Berlin. Le café est ouvert à partir de 11h, pour prendre un verre et éventuellement une part de tarte (4 €) avec vue.
Potsdamer Platz 1, 10785 • 25 93 70 80
www.panoramapunkt.de • tjl 10h-20h (en hiver, jusqu'à 18h selon la météo) • **adulte/tarif réduit 5,50/4 €, gratuit -6 ans**
Ⓤ2 ou Ⓢ-Bahn Potsdamer Platz

28. VICTORIA BAR — **VERY CHIC**

BAR À COCKTAILS

L'un des meilleurs bars à cocktails de Berlin se situe dans l'une des rues les plus déprimantes de la capitale. Le Victoria ne paie pas de mine de l'extérieur ; c'est à l'intérieur que tout se joue ! Passez de l'autre côté des vitres fumées et sirotez un cocktail dans un canapé en cuir (à partir de 7,90 €).

···▷ *Happy hours jusqu'à 21h30.*

Potsdamer Strasse 102, 10785 • 2575 99 77
www.victoriabar.de • dim-jeu 18h30-3h,
ven-sam 18h30-4h • Ⓤ2 Bülowstrasse ou
Ⓤ1 Kurfürstenstrasse • Bus de nuit N1, N2

30. KUMPELNEST 3000

BAR DE NUIT

Ce bar est connu pour ses nuits qui ne terminent jamais avant 6h du matin. Au "Nid de copains", plus le jour approche et plus l'atmosphère devient décadente. Les drag-queens et les travailleuses de nuit s'y donnent souvent rendez-vous pour les afters et font souvent leur cinéma au comptoir. Du vrai Berlin !

Lützowstrasse 23, 10785 • 261 69 18
www.kumpelnest3000.com • tlj 19h-6h
(au plus tôt) • Ⓤ1 Kurfürstenstrasse
Bus de nuit N1, N2

29. BUCHWALD — **VERY CHEAP**

SALON DE THÉ

Dans ce salon de thé typique, on apprécie le fameux "Cafe-Kuchen", le *tea time* à l'allemande! Le Buchwald propose une kyrielle de spécialités de gâteaux et de tartes à des prix tout à fait corrects (entre 1,30 et 2,80 €, café 1,70 €).

···▷ *Précisez avec ou sans chantilly ("mit Sahne" ou "ohne Sahne").*

Bartningallee 29, 10557 • 3915931 • www.
konditorei-buchwald.de • lun-sam 9h-18h,
dim 10h-18h • Ⓢ-Bahn Bellevue

31. BAR AM LÜTZOWPLATZ — **VERY CHIC**

BAR DE NUIT

Une adresse de référence pour la faune nocturne. Derrière le gigantesque comptoir, les barmans concoctent des cocktails de haut vol à des prix abordables (à partir de 5,50 €). Le patron a déniché des whiskies au malt plutôt rare, listés sur une carte spéciale. Voir aussi p. 183.

···▷ *Cocktails à moitié prix (+1,25 €) avant 21h. Soirée jazz le mardi.*

Lützowplatz 7, 10785 • 262 68 07
www.baramluetzowplatz.com
tlj à partir de 17h
Ⓤ1 Kurfürstenstrasse • Bus de nuit N1, N2

32. PUCES DE L'AVENUE DU 17-JUIN

MARCHÉ AUX PUCES

Le plus grand rendez-vous de la brocante à Berlin attire les touristes le week-end, mais il reste néanmoins très authentique. Les prix sont certainement plus élevés que da les autres brocantes, mais on peut toujours y dénicher des objets à bons prix. Le Berliner Trödelmarkt est aussi le grand rendez-vous de l'artisanat.

Trödel Markt • Strasse des 17. Juni • 26 55 00 96
www.berliner-troedelmarkt.de
sam-dim 10h-17h • ⑤-Bahn Tiergarten

33. KPM

VERY CHIC

PORCELAINE

L'ancienne usine de la manufacture royale de porcelaine a été transformée en grande salle de ventes (entrée gratuite). Les prix sont ceux d'une vaisselle de haute qualité : les premiers prix commencent à 38 € pour une salière ou 49 € pour une simple tasse.

···❯ *Si vous passez par le café KPM (par la rue Wegely), vous pourrez voir une très belle exposition et l'atelier où travaillent, sous vos yeux, les artisans de la manufacture (entrée 10 € , pour l'audioguide en anglais + 2 €). Gratuit jusqu'à 12 ans.*

Wegelystrasse 1, 10623 • 39 00 90 • www.kpm-berlin.de
lun-sam 10h-18h • ⑤-Bahn Tiergarten

34. AVE MARIA

ARTICLES RELIGIEUX

La petite boutique est connue de tous les dévots à Berlin. Mais elle est ouverte aussi aux touristes sans convictions religieuses. Vous y trouverez, un peu comme à Lourdes, tous les articles imaginables concernant le Christ et la Vierge Marie. Grand choix de cartes postales.

Déjeunez ensuite au restaurant Joseph-Roth-Diele, juste à côté (voir p. 119).

Potsdamer Strasse 75, 10785 • 265 22 84
www.avemaria.de • lun-ven 12h-18h, sam 12h-15h
Ⓤ1 Kurfürstenstrasse

35. SONY CENTER

COMMERCES ET DIVERTISSEMENTS

Le Sony Center, énorme complexe regroupant des bars, des boutiques et des cinémas, est l'un des points de repère de la Potsdamer Platz. Il est facilement reconnaissable à son chapiteau de toile qui plane à 67 m au-dessus de la place intérieure. Le soir, le toit se pare de mille couleurs grâce aux jeux de lumière imaginés par le plasticien français Yann Kersalé. Le Sony Center abrite le Sony Style Store (lun-sam 11h-19h), qui propose toute la panoplie des produits de la marque.

Potsdamer Strasse 4, 10785 • 25 75 11 88
www.sonycenter.de • Ⓤ2 ou Ⓢ-Bahn Potsdamer Platz

Charlottenburg

RENAISSANCE DES BEAUX QUARTIERS

La réunification de 1990 avait plongé Charlottenburg dans une grande déprime. À l'époque, tout le monde allait faire la fête à l'Est. La dépression n'a pas duré longtemps ! Vitrine de l'Allemagne de l'Ouest pendant les 28 ans du Mur, le quartier s'est dépoussiéré en quelques années pour redevenir ce qu'il avait été pendant les Années folles : le rendez-vous de la vie mondaine. L'agitation a repris son cours le long du Ku'damm, avec ses commerces, ses théâtres, ses cinémas et ses salles de spectacles. Et on entend de nouveau parler le russe, comme dans les années 1920, lorsque le quartier était surnommé "Charlottengrad".

LE QUARTIER DU SHOPPING
ET DES SPECTACLES : le long du Kurfürstendamm
LE QUARTIER HISTORIQUE : autour du château de Charlottenburg
LE QUARTIER DE LA NUIT : autour de Savignyplatz

ESSENTIELS

LE KURFÜRSTENDAMM/☉4 : la grande avenue
du shopping a retrouvé de son éclat bien que sa mutation
ne soit pas encore achevée (détails p. 129).
LA GEDÄCHTNISKIRCHE/☉5 : le clocher en ruine
de l'église du Souvenir est l'un des emblèmes de Berlin.
C'est un merveilleux symbole pour dénoncer les aberrations
de la guerre (détails p. 128).
LE PARIS-BAR/🍽13 : ce restaurant français est l'adresse
la plus courue des grandes stars internationales depuis
plusieurs décennies (détails p. 132).
LE CHÂTEAU DE CHARLOTTENBURG/☉10 : détruit par
les bombes, il a fallu plus de 20 ans pour le reconstruire. Son
parc est un merveilleux endroit de promenade (détails p. 131).

Confidentiels

LA LITERATURHAUS/☉6 : la "maison de la littérature" regroupe
tout ce que les intellectuels adorent : une librairie, des musées et
un café dans la verdure (détails p. 130).
LE MUSÉE BERGGRUEN/☉9 : en face du château, Picasso, Matisse
ou Klee s'offrent à vous dans un beau bâtiment (détails p. 131).
ROGACKI/🍽17 : l'adresse du traiteur est connue de tous les
gastronomes. On y fume des poissons depuis plus de 80 ans ! (détails p. 133).
QUASIMODO/🍷20 : on prend une bière ou un verre de vin dans le café,
puis on se rend dans la salle de spectacles pour écouter un artiste de jazz
ou de rock. Le meilleur endroit pour "déconnecter" (détails p. 134).

21 ⊙ 10

SPANDAUERDAMM

⊙ 9

Spree

OTTO-SUHR-ALLEE

Ⓤ RICHARD-WAGNER-PLATZ

KAISER-FRIEDRICH
Gierkezeile
Wilmersdorfer Strasse
Richard-Wagner-Str.

Danckelmannstrasse
Nehringstrasse
Schlossstrasse

Zillestrasse
Zillestrasse

SOPHIE-CHARLOTTE-PLATZ Ⓤ

BISMARCK STRASSE Ⓤ

⏏17 N36 🌙 Ⓤ DEUTSCHE OPER

BISMARCKSTRASSE

Schillerstrasse

STRASSE
Windscheid

Goethestrasse

Leibnitzstrasse

⏏ 32
Suarezstrasse

Pestalozzistrasse

WILMERSDORFER STRASSE Ⓤ

⏏ 30

KANTSTRASSE

KANTSTRASSE

Strasse

CHARLOTTENBURG Ⓢ

LEWISHAMSTRASSE

Wilmersdorfer Str.

⏏ 31
Niebuhrstrasse

Mommsenstrasse

Leibnitzstrasse
Wielandstrasse

Gervinusstrasse

Sybelstrasse

Sybelstrasse

Damaschkestrasse

KURFÜRSTENDAMM

500 m

Ⓤ ADENAUERPLATZ

Légende

- Visiter
- À table
- Autour d'un verre
- Un peu de shopping
- Sortir (voir chapitre spécifique p. 181)

N37

STRASSE DES 17. JUNI

Ernst-Reuter-Platz

ERNST-REUTER-PLATZ

Fasanenstrasse

Hertzallee

25

Goethestrasse

HARDENBERGSTRASSE

16

Grolman

Strasse

Carmerstr.

Strasse

5

Ilebenstr.

3

Entrée du zoo

ZOOLOGISCHER GARTEN

23

N32

13

24

27

20

22

N31

29

4

8

SAVIGNY PLATZ

14

KANTSTRASSE

BUDAPESTERSTR.

26

12 11

1

KURFÜRSTENDAMM

18

19

33

Str.

Bleibtreustrasse

Knesebeck

Strasse

UHLAND STRASSE

Joachimstaler

Augsburgerstrasse

Rankestr.

Nürnbergerstrasse

KURFÜRSTENDAMM

Uhland

Fasanenstrasse

28

6

15

AUGSBURGER STRASSE

LIETZENBURGER STRASSE

2

7

VISITER

Le quartier bourgeois a repris des couleurs. Son château, son zoo, sa vie nocturne, ses salles de concerts et ses élégants cafés lui donnent un charme tout particulier, notamment autour de la jolie Savignyplatz.

1. KAISER-WILHELM-GEDÄCHTNISKIRCHE

L'église du Souvenir est un symbole dénonçant les folies de la guerre. Son clocher en ruine, surnommé la "dent creuse" par les Berlinois, se dresse en souvenir poignant des bombardements. L'église accueille une exposition sur les bombardements de l'édifice pendant la Seconde Guerre mondiale. Depuis 1961, le lieu de culte a été déplacé dans le nouveau bâtiment construit à côté par le célèbre architecte allemand Egon Eiermann. On remarquera les 21 570 pavés de verre travaillés à la main, d'un bleu intense, qui filtrent la lumière de l'extérieur.

···⟶ *La Breitscheidplatz, qui jouxte l'église, est très animée autour de la fontaine Der Weltkugelbrunnen. Des travaux de rénovation sont prévus jusqu'à l'automne 2013.*

Breitscheidplatz, 10789 • 218 50 23 • www.gedaechtniskirche-berlin.de • tlj 9h-19h (partie ancienne : 10h-18h) • Ⓤ3 Augsburger Strasse, Ⓤ1 Kurfürstendamm ou Ⓤ2 Wittenbergplatz

KU'DAMM

Surnommé les "Champs-Élysées de Berlin", le Kurfürstendamm fut le haut lieu des Années folles, puis la vitrine capitaliste de Berlin-Ouest pendant la guerre froide. Après la réunification, cette grande artère commerçante (3,5 km) a perdu de son éclat et a dû rivaliser avec sa concurrente de l'Est, Friedrichstrasse. Contre toute attente, elle a réussi une incroyable métamorphose. Des projets immobiliers sont sortis de terre ; les immeubles anciens rescapés des bombardements ont été rénovés. Aujourd'hui, avec ses grandes boutiques et ses nombreux cafés, le Ku'damm est redevenu un rendez-vous de la vie mondaine.

Ⓤ1 ou Ⓤ9 Kurfürstendamm

3. GARE DU ZOOLOGISCHER GARTEN

L'ancienne gare centrale de Berlin-Ouest est la grande perdante de la réunification. Depuis 2006, les trains en provenance de Bruxelles et de Paris ne s'arrêtent plus ici, mais dans la nouvelle gare de verre et d'acier de la Hauptbahnhof (voir p. 113). La gare est devenue tristement célèbre depuis le film sur les enfants drogués, *Moi, Christiane F., 13 ans, droguée, prostituée...*

⋯⟶ *Entrée du zoo et de l'aquarium en face de la gare, à gauche en sortant (25 40 10 ; www.zooberlin.de ; tlj 9h-19h, jusqu'à 17h du 15 octobre au 25 mars ; adulte/tarif réduit 13/10 €, zoo + aquarium 20/15 €).*

Ⓤ2 ou Ⓢ-Bahn Zoologischer Garten

4. MUSÉE DE L'ÉROTISME

Les Allemands surnommaient Beate Uhse la "grand-mère du porno". Cette commerçante du sexe, décédée en 2001 à 81 ans, incarnait la libération sexuelle en Allemagne. C'est elle qui a ouvert, en 1995, ce musée très populaire rassemblant plus de 3 000 objets et œuvres d'art du monde entier ayant trait au sexe.

⋯⟶ *Un sex-shop au rez-de-chaussée complète la visite.*

Beate Uhse Erotikmuseum • Joachimstaler Strasse 4, 10623 (entrée par le sex-shop) • 886 06 66 www.erotikmuseum.de • lun-sam 9h-minuit, dim 11h-minuit • **adulte/couple 9/16 €, interdit aux -18 ans** • Ⓤ2 ou Ⓢ-Bahn Zoologischer Garten

129

5. FONDATION HELMUT NEWTON – MUSÉE DE LA PHOTOGRAPHIE

Menacé par les nazis, le célèbre photographe de mode et de nu féminin avait dû fuir Berlin quand il était adolescent. Le musée de la Photographie, inauguré en juin 2004 derrière la gare du Zoologischer Garten, accueille une exposition permanente de la Fondation Newton au rez-de-chaussée ("Helmut Newton's Private Property") et deux expositions temporaires par an au premier étage. Le musée, indépendant de la fondation, est situé au niveau supérieur avec trois expositions temporaires par an.

Helmut Newtown, im Museum für Fotografie • Jebensstrasse 2, 10623
31 86 48 25, visite guidée 26 63 66 • www.helmutnewton.com ou www.smb.spk-berlin.de
mar-dim 10h-18h, jeu jusqu'à 22h • tarif plein/réduit 8/4 €
Ⓤ2 ou Ⓢ-Bahn Zoologischer Garten

6. LITERATURHAUS

GRA-TUIT

Avec son programme exceptionnel de lectures, la "maison de la littérature" est un lieu de rendez-vous incontournable de la sphère intellectuelle et littéraire de Berlin. Dans la villa, une librairie côtoie un superbe café avec des journaux étrangers à disposition (voir p. 137). On peut se rendre, juste à côté, au **musée Käthe-Kollwitz** (célèbre artiste-sculptrice allemande du XXᵉ siècle) ou à la **Villa Grisebach**, salle des ventes qui accueille aussi une exposition d'art contemporain à l'étage supérieur (mar-ven 10h-18h, sam 11h-16h ; entrée libre).

Fasanenstrasse 23, 10719 • 887 28 60
www.literaturhaus-berlin.de • librairie lun-ven
10h-20h, sam 10h-18h, café tlj 9h30-1h
Ⓤ1 Uhlandstrasse

7. THE STORY OF BERLIN

Voilà un musée "à l'américaine", très divertissant, qui retrace 800 ans d'histoire de la ville à travers une exposition interactive. Ouvert en 1999, The Story of Berlin met au premier plan la vie quotidienne des Berlinois avec 23 salles thématiques et des reconstitutions de domiciles à travers les siècles. La visite d'un vrai bunker situé sous le Kurfürstendamm est incluse dans l'entrée du musée. Un livret en français est délivré à la caisse contre 1 € de consigne.

Kurfürstendamm 206, 10719
88 72 01 00 • www.story-of-berlin.de • tlj 10h-20h (dernière admission 18h) • tarif plein/réduit 10/8 € (visite du bunker compris, départ chaque heure avec un guide)
Ⓤ1 Uhlandstrasse

9. MUSÉE BERGGRUEN

Juste en face du château, le musée du collectionneur Heinz Berggruen (décédé à Paris en 2007) rassemble une superbe collection de tableaux de Pablo Picasso (plus de 100 œuvres), de Paul Klee (60 toiles), d'Henri Matisse et de Giacometti. Audioguide en français.

⤳ *Le musée Bröhan consacré au Jugendstil (Art nouveau) et à l'Art déco est juste à côté.*

Museum Berggruen • Schlossstrasse 1, 14059
32 69 58 15 • www.smb.museum • mar-dim 10h-18h
tarif plein/réduit 8/4 €
Bus 109, 309, M45

8. SAVIGNYPLATZ

C'est la place qui accueille le plus de bars de nuit dans le quartier. Elle a su conserver son atmosphère du Berlin de la guerre froide avec tous ses commerces et ses établissements aux alentours, anglophiles mais aussi francophiles (Café Brel, Café Gainsbourg, Paris-Bar, etc.). Le jardin a été reconstruit en 1987 sur des plans de 1926.

⤳ *Il est préférable de se balader au nord de la place. Les rues y sont beaucoup plus calmes qu'au sud.*

Ⓢ-Bahn Savignyplatz

10. CHÂTEAU DE CHARLOTTENBURG

Il a fallu plus de 20 ans pour reconstruire le plus grand palais de Berlin, sérieusement endommagé par les bombardements. Derrière ce château baroque s'étend un superbe parc propice aux balades. Dessiné en 1697 par un élève de Le Nôtre, Siméon Godeau, ce parc à la française a été refait "à l'anglaise" par Peter Joseph Lenné au début du XIXe siècle. Après la guerre, il a été restauré suivant les règles du jardin à la française au centre et à l'anglaise, plus libre, en bordure.

⤳ *Le parc est ouvert tlj de 6h à la tombée de la nuit (entrée libre).*

Schloss Charlottenburg • Spandauer Damm 20-24, 14059 • 32 09 11
www.spsg.de • mar-dim 10h-18h (jusqu'à 17h nov-mars) • tarifs variables suivant
les bâtiments (6 à 12 €), autorisation de photographier 3 € • Bus 109, 309, M45

À TABLE !

11. OTTENTHAL

AUTRICHIEN

De l'extérieur, le restaurant n'a pas l'air très engageant. Pourtant, c'est l'une des adresses les plus réputées en matière de cuisine autrichienne. Les escalopes viennoises sont naturellement à la carte, mais l'Ottenthal propose d'autres merveilles de la cuisine autrichienne, qui sont accompagnées de savoureux vins blancs de Basse-Autriche, la région d'origine du chef. Le rapport qualité/prix est plus que correct (plats 14-27,50 €).

Kantstrasse 153, 10623
313 31 62 • www.ottenthal.de
tlj 17h-1h • Ⓤ2, Ⓤ9 Zoologischer
Garten • Ⓢ-Bahn Zoologischer
Garten ou Savignyplatz

12. PARIS-BAR

VERY CHIC

FRANÇAIS

Ici, pas le moindre coin de table qui n'ait pas été effleuré par une star du show-biz ou de la politique. De Mikhaïl Gorbatchev à Madonna, en passant par Robert De Niro, le Paris-Bar a vu passer de nombreuses personnalités sur ses banquettes. La réputation du restaurant se répercute naturellement sur les prix (jusqu'à 54 € le plat). Mais la cuisine est excellente ! Alors on ferme les yeux.

┅┅➔ *De 12h à 17h, menu à 12 € !*
Kantstrasse 152, 10623 • 313 80 52
www.parisbar.net • tlj 12h-1h
Ⓢ-Bahn Zoologischer Garten ou Savignyplatz

13. GOOD FRIENDS

CHINOIS

C'est le restaurant chinois le plus couru de Berlin. Décor, cuisine et service sont authentiques ; pas étonnant que les Chinois viennent ici ! On commande plusieurs plats (de 3 à 60 €), pour la plupart cantonais. Le soir, c'est souvent plein à craquer. Il vaut donc mieux réserver.

┅┅➔ *Menus de 6,90 à 7,60 € à midi (lun-ven).*
Kantstrasse 30, 10623 • 313 26 59
www.goodfriends-berlin.de • tlj 12h-2h • Ⓢ-Bahn Savignyplatz

14. ZWÖLF APOSTEL

VERY CHEAP

PIZZERIA

Pour une pizzeria, c'est la grande classe. Dans un très beau décor, on vous sert au choix 12 pizzas cuites au feu de bois, portant chacune le nom d'un apôtre (*Apostel* en allemand). On peut voir les pizzaiolos à l'œuvre depuis la salle principale.

┅┅➔ *Business-lunch de 6,95 € (pizza, pâtes) à 8,95 € (plats + entrée ou dessert). On sert jusqu'à 1 heure du matin.*
Bleibtreustrasse 49, 10623 (entrée par le passage le long du viaduc) • 312 14 33
www.12-apostel.de • tlj 8h-1h
Ⓢ-Bahn Savignyplatz

15. RESTAURANT DIEKMANN

FRANCO-ALLEMAND

Le décor est celui d'un ancien magasin de denrées coloniales qui se trouvait à cet emplacement. La carte est plutôt réduite. Mais les produits sont frais ! Trois nouveaux plats sont proposés chaque soir (poissons ou viandes, en alternance chaque soir, 12 à 27 €), accompagnés de vins français ou allemands (pour les vins allemands, prenez les blancs). Menus 35 € (3 plats) et 41 € (4 plats).

···⟶ *Business-lunch 12h-16h pour 12 € (plats, eau minérale et café).*

Meinekestrasse 7, 10719 • 883 33 21
www.diekmann-restaurants.de • lun-sam 12h-1h,
dim 18h-1h (service jusqu'à 23h30)
Ⓤ1 ou Ⓤ9 Kurfürstendamm

17. ROGACKI

TRAITEUR

Depuis 80 ans, il est réputé pour ses anguilles et ses sandres fumés. Ce traiteur de Charlottenburg est un lieu incontournable pour tous les gastronomes. On y déguste crustacés, poissons frais et fumés, mais aussi de la charcuterie, venus de tous les coins d'Allemagne. On peut rester debout ou s'asseoir à une table.

Wilmersdorfer Strasse 145, 10585 • 343 82 50
www.rogacki.de • lun-mer 9h-18h, jeu 9h-19h,
ven 8h-19h, sam 8h-16h • Ⓤ2 Bismarckstrasse

16. FLORIAN

VERY CHIC

ALLEMAND

Le monde des spectacles se donne rendez-vous au Florian dans un décor simple mais stylé, situé dans un coin tranquille, près des théâtres du Ku'damm. On y croise régulièrement des metteurs en scène comme Wim Wenders. Des acteurs également : Gene Hackman ou Catherine Deneuve sont passés ici. On y sert une cuisine allemande avec une touche méditerranéenne. Les produits sont tous bio.

···⟶ *On peut y manger jusqu'à tard dans la nuit (carte réduite à partir de 23h).*

Grolmanstrasse 52, 10623 • 313 91 84
www.restaurant-florian.de
tlj 18h-3h • Ⓢ-Bahn Savignyplatz

18. LUBITSCH

VERY CHEAP

INTERNATIONAL

Un café pour les cinéphiles. Situé en face d'un cinéma d'art et d'essai (Filmkunst 66), ce café-restaurant est le rendez-vous des artistes. La cuisine est sans prétention mais excellente. Et les prix sont imbattables (plats 12-18 €). De 12h à 18h, on peut profiter d'un menu entrée-plat-dessert pour seulement 10 € ! Une adresse à retenir si l'on ne veut pas se ruiner dans ce quartier huppé.

···⟶ *Tlj à midi, un plat du jour à 5 € !*

Bleibtreustrasse 47, 10623 • 882 37 56
www.restaurant-lubitsch.de
lun-sam à partir de 10h, dim à partir
de 18h • Ⓢ-Bahn Savignyplatz

133

19. KRANZLER

CAFÉ

Tout le monde connaît le Kranzler, café légendaire des années 1950. Il a été modernisé mais a gardé son charme d'époque. On y va pour prendre un café et une part de gâteau après un long après-midi de shopping sur le Ku'damm. L'accès se fait par un ascenseur (entrée à gauche du magasin Gerry Weber, au bout du couloir). La salle est petite et souvent pleine. Le balcon est superbe !

➳ *Petit-déjeuner allemand (salami, fromage...) à 9,90 € avec buffet à volonté, boisson incluse, de 8h30 à 12h.*

Kurfürstendamm 18, 10719 • 887 18 39 25
www.cafekranzler.de • tlj 8h30-20h
Ⓤ1, Ⓤ9 Kurfürstendamm ou
Ⓤ2 Zoologischer Garten

20. QUASIMODO

CLUB JAZZ-ROCK

Vous ne risquez pas de vous ennuyer au Quasimodo. Ce célèbre club est situé juste à côté du théâtre de comédies musicales, le Theater des Westens. Il accueille les plus grands musiciens de jazz, de blues, mais aussi de rock. On peut prendre un verre au café, sur la terrasse, et se décider pour un concert (environ 4 par semaine, à 22h). L'entrée se trouve en dehors du café, à côté du cinéma (descendre du côté gauche).

➳ *Profitez-en pour visiter le bâtiment wilhelmien de 1896 du Theater des Westens.*

Kantstrasse 12a, 10623 • 312 80 86
www.quasimodo.de • lun-ven à partir de 15h30, sam-dim à partir de 13h
Ⓤ2 ou Ⓢ-Bahn Zoologischer Garten

21. KLEINE ORANGERIE

CAFÉ DU CHÂTEAU

Très touristique, le café du château de Charlottenburg n'en reste pas moins un lieu agréable pour y prendre un thé et une part de gâteau. On peut également y dîner (plats 6,50-14,50 €).

Spandauer Damm 20, 14059 • 322 20 21 • www.kleineorangerie.de
jan-mai : tlj sauf lun à partir de 10h ; avril-déc : tlj 10h-24h, sauf ven 12h-24h
Ⓤ7 Richard-Wagner-Platz ou Bus 109, 309, M45

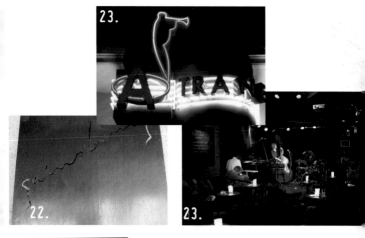

22. GAINSBOURG

BAR AMÉRICAIN

L'un des rendez-vous nocturnes traditionnels du quartier de Savignyplatz. L'ambiance lascive aurait sans doute plu à l'artiste français. Le Gainsbourg, qui rend hommage au chanteur avec des photos et des citations de lui aux murs, est fait pour ceux qui préfèrent s'endormir à l'heure où les autres reprennent le travail. D'autant plus que les boissons sont à la hauteur et qu'on peut rester des heures sans se ruiner (cocktails à 10 € environ). Ambiance très "Gainsbarre" en fin de soirée avec parfois des concerts.

Jeanne-Mammen-Bogen 576, 10623 (dans le "Savignypassage", sous les arcades du S-Bahn)
313 74 64 • www.gainsbourg.de
à partir de 16h (17h en hiver)
⑤-Bahn Savignyplatz

23. A-TRANE

CLUB DE JAZZ

Ce club de jazz n'est pas aussi célèbre que le Quasimodo. L'atmosphère y est d'autant plus intimiste. La petite salle accueille tous les jours des groupes de jazz. C'est l'endroit idéal pour aller boire un verre après un bon dîner (bière 3,50 €, cocktail à partir de 6,50 €). Venez à 21h, à l'ouverture, pour trouver une bonne place. Les concerts commencent à 22h.

⋯⟩ *Entrée gratuite le lundi et le samedi à minuit pour une jam-session très fréquentée.*

Pestalozzistrasse 105, 10625
313 25 50 • www.a-trane.de
tlj 21h-2h • entrée 5-30 € selon les artistes (en général 8 €)
⑤-Bahn Savignyplatz

24. ZWIEBELFISCH

BAR DE NUIT

De l'extérieur, le bar n'a rien d'extraordinaire. C'est à l'intérieur que ça se passe. C'est un bar avec du caractère ! On y retrouve cette ambiance des années 1970 quand les étudiants et les écrivains se réunissaient ici pour refaire le monde. Si le public a pris quelques rides, le décor, lui, n'a pas changé depuis son ouverture en 1967. L'ambiance y est toujours aussi sympathique, comme les prix d'ailleurs (1,70/3,30 € pour une bière de 0,2 l/o,4 l). Qu'on se sent bien au Zwiebelfisch ! On resterait bien jusqu'à 6h du matin...

Savignyplatz 7/8, 10623
312 73 63 • www.zwiebelfisch.
de • tlj 12h-6h
🟢-Bahn Savignyplatz

25. HARDENBERG

CAFÉ

Le Hardenberg, à l'ambiance de café parisien (mais en beaucoup plus grand, avec un étage), est fréquenté principalement par les étudiants de l'université technique (TU). Le mieux est de s'y rendre en fin d'après-midi, après la cohue de midi (pris d'assaut par les étudiants qui viennent profiter de ses plats aux prix abordables). On traîne alors tranquillement devant un café en lisant les journaux berlinois.

Hardenbergstrasse 10, 10623 • 312 26 44
tlj 9h-1h (service continu)
Ⓤ2 Ernst-Reuter-Platz

26. CAFÉ BREL **VERY CHIC**

PIANO-BAR

Ce restaurant de Savignyplatz est dédié au célèbre chanteur belge. Mais il fait aussi office de bar et de café-concert avec des soirées spéciales chansons. Lorsque les tables de la salle ou de la terrasse ne sont pas réservées pour le dîner, on peut y boire un verre. Ambiance feutrée.

┈┈⫸ *Un pianiste accompagne les soirées.*

Savignyplatz 1, 10623 • www.cafebrel.de
31 80 00 20 • tlj 9h-4h • 🟢-Bahn Savignyplatz
Bus de nuit N10

28.

27. DICKE WIRTIN

TAVERNE

Si vous voulez découvrir une vraie Kneipe, bien bruyante, allez boire un verre au Dicke Wirtin. Les tavernes typiquement berlinoises sont devenues tellement rares ! Ici, on aime le football (retransmission des matchs de la Bundesliga) et les fricadelles (2,90 €). Pas de grande cuisine, mais on est toujours rassasié. Les soupes, à partir de 3,90 €, sont servies toute la nuit. Ouvert jusqu'au petit matin.

Carmerstrasse 9, 10623
312 49 52 • www.dicke-wirtin.de
tlj à partir de 12h
Ⓢ-Bahn Savignyplatz

28. WINTERGARTEN

VERY CHIC

CAFÉ LITTÉRAIRE

On ne saurait trouver endroit plus vert et plus reposant près du Ku'damm. Le Wintergarten est le rendez-vous des intellectuels. Il se trouve au milieu de l'ensemble formant la maison de la littérature (Literaturhaus, voir p. 130), à l'intérieur de la villa. La serre, en haut du perron, est un bel endroit pour prendre un verre. Naturellement, c'est souvent plein ou réservé. N'hésitez pas à demander une place ! À l'extérieur, la terrasse dans le jardin est ouverte dès les premiers rayons de soleil.

Fasanenstrasse 23, 10719 • 882 54 14
www.literaturhaus-berlin.de
tlj 9h30-1h • Ⓤ1 Uhlandstrasse

29. STILWERK

DÉCORATION

On le surnomme ici le "Harrod's" du mobilier d'intérieur. Ce grand magasin consacré aux meubles et à la décoration déploie sur six étages grandes marques internationales et objets de designers du monde entier. On peut y faire un tour juste pour l'inspiration. Ça donne des idées.

Kantstrasse 17, 10623 • 31 51 50
www.stilwerk.de • lun-sam 10h-19h
Ⓢ-Bahn Savignyplatz ou Zoologischer Garten

30. BERLINER FILM ANTIQUARIAT

AFFICHES ET ARTICLES DE CINÉMA

Les amoureux du cinéma trouveront dans cette boutique encombrée l'affiche de leur film préféré ou l'autographe d'un acteur célèbre. Le stock de ce collectionneur atteint plus d'un million d'affiches ! On y trouve aussi des livres en français sur le thème du cinéma.

···❯ *Contactez le vendeur par e-mail (berlinerfilmantiquariat@web.de) avant de passer à Berlin, le temps qu'il retrouve l'affiche avant votre arrivée !*

Pestalozzistrasse 93, 10625
544 93 057 • www.
berlinerfilmantiquariat.de
lun-sam 10h-19h
Ⓢ-Bahn Savignyplatz

31. AUX ABORDS DU KU'DAMM

VERY CHIC

LUXE

Encore mieux que le boulevard du Kurfürstendamm, ce sont toutes les petites rues adjacentes, au-delà de Savignyplatz et de Kantstrasse. Les rues Bleibtreu, Schlüter et Leibnitz, notamment, regorgent de boutiques.

Ⓤ1, Ⓤ9 Kurfürstendamm

32. SUAREZSTRASSE

ANTIQUAIRES

Une trentaine d'antiquaires se sont installés dans cette rue située au sud du château de Charlottenburg. À voir, notamment : la boutique de verres anciens Schöne alte Gläser, au n°58. Les prix sont assez élevés pour Berlin.

Ⓤ2 Sophie-Charlotte-Platz

33. FASANEN-STRASSE

LUXE

Dans cette belle rue qui traverse le Ku'damm, les boutiques de luxe de vêtements et d'accessoires de créateurs s'enchaînent. Ici, on n'hésite pas à dépenser des fortunes pour un petit bijou. Très fréquenté par les nouveaux Russes.

Ⓤ1 Uhlandstrasse

34. SECONDO

HAUTE COUTURE D'OCCASION

Une très petite boutique pour de grandes marques à petits prix. Secondo propose des pièces de J. P. Gautier, Versace, Jil Sander, Gucci, Chanel et Dolce & Gabbana d'occasion à moitié prix. Mais les réductions peuvent être encore plus conséquentes. Elles dépendent toujours de l'arrivage et de la qualité (occasion ou fin de collection). On peut faire de très bonnes affaires si on passe au bon moment.

Mommsenstrasse 61, 10629
881 22 91 • www.secondoberlin.de
lun-ven 12h-18h30, sam 12h-16h30
Ⓢ-Bahn Savignyplatz

Schöneberg

BOBO, COSY ET GAY

Schöneberg est comme Prenzlauer Berg mais en beaucoup plus détendu ! Contrairement aux nouveaux quartiers de l'Est, pas besoin d'être tendance ici. Au contraire, ce serait plutôt mal vu. Ici, on prend son temps dans les cafés de Goltzstrasse, au rythme de la province. Schöneberg est un grand village avec des familles de toutes origines, des cloches d'églises qui résonnent, un marché animé et des petites boutiques soignées. Le quartier a la faveur des bobos et des gays.

REPÈRES

LE QUARTIER BOBO : autour de Goltzstrasse
LE QUARTIER GAY : autour de Motzstrasse
LE QUARTIER DU SHOPPING : autour de Wittenbergplatz

ESSENTIELS

LE KADEWE/⊙1 : le plus grand magasin du continent nous plonge dans l'univers du *Bonheur des dames* de Zola (détails p. 143).
LE MARCHÉ DE WINTERFELDTPLATZ/⊙3 : ce marché, qui a lieu le mercredi et le samedi (encore plus vivant), est le cœur de ce quartier familial et provincial (détails p. 144).
LA MAIRIE DE SCHÖNEBERG/⊙6 : l'endroit historique où Kennedy a déclaré *"Ich bin ein Berliner"* (détails p. 145).

Confidentiels

LA VIKTORIA-LUISE-PLATZ/⊙4 : pour faire une balade dans le Berlin du XIXe siècle, celui du Gründerzeit (1840-1873). Quelques immeubles ont résisté aux bombardements (détails p. 145).
LE CAFÉ M/♥20 : pour retrouver l'ambiance des années 1980 autour d'un café ou d'une bière (détails p. 149).
LE GARAGE KLEIDERMARKT/♠25 : le meilleur plan à Berlin pour trouver des fringues pas chères. On paie au kilo ! (détails p. 150).

Visiter

À table

Autour d'un verre

Un peu de shopping

Sortir (voir chapitre spécifique p. 181)

500 m

142

VISITER

*Une balade dans le quartier gay est
chaque fois un émerveillement. Écolos,
bobos, grandes familles turques,
acteurs, étudiants, chômeurs...
Nulle part ailleurs on ne vit dans
une telle harmonie. Le meilleur moyen
de s'en persuader est de se rendre sur
le marché et de déguster un falafel bio.*

1. KADEWE

Avec ses sept étages, le Kaufhaus des Westens ("grand magasin de l'Ouest") est
le plus grand magasin d'Europe et le plus connu d'Allemagne. Ouvert depuis plus
d'un siècle, en 1907, il a été le symbole de la société de consommation au cœur
du bloc communiste. Les deux derniers étages sont consacrés à la gastronomie
avec un large choix de produits à faire saliver, qu'on ne trouve nulle part ailleurs
dans la capitale.

···✦ *Rendez-vous au rayon gourmet avec de multiples stands (6°).*

Tauentzienstrasse 21-24, 10789 • 21 21 0
www.kadewe.de • lun-jeu 10h-20h, ven 10h-21h, sam 9h30-20h
🚇1, 🚇2, 🚇3 Wittenbergplatz

143

2. MÉTRO WITTENBERGPLATZ

C'est l'une des rares stations de métro classées monuments historiques. On trouve encore les anciens guichets en bois et les panneaux de signalisation de l'époque. Aux murs, on peut voir quelques publicités anciennes.

U1, U2, U3 Wittenbergplatz

3. MARCHÉ DE WINTERFELDTPLATZ

Située au milieu d'un merveilleux quartier, la place Winterfeldt accueille deux fois par semaine l'un des marchés les plus connus de Berlin avec une offre très large en produits bio. Bien sûr, l'atmosphère n'est pas comparable avec celle des marchés français (plus animés), mais l'ambiance reste agréable et surtout familiale. C'est l'occasion de manger sur le pouce à midi un de ces fameux falafels (voir p. 146), une soupe ou un *Currywurst* dans l'un des nombreux stands.

···⟩ *Profitez-en pour faire un tour dans le quartier. Certaines rues ont été épargnées par les bombardements.*

www.winterfeldtplatz.corbida.de
mer 8h-14h, sam 8h-16h
U1, U2, U3, U4 Nollendorfplatz

4. VIKTORIA-LUISE-PLATZ

Avec ses villas bourgeoises du Gründerzeit (style architectural berlinois des années 1840-1873), la place Viktoria-Luise et ses rues adjacentes constituent l'un des rares endroits où l'on peut encore se faire une idée du Berlin du XIXᵉ siècle.
Ⓤ4 Viktoria-Luise-Platz

5. APOSTEL-PAULUS-KIRCHE ET ENVIRONS

L'église Saint-Paul est réputée pour ses concerts de gospel qui font vibrer les rues alentour. Ce quartier de petits commerçants est un modèle de vie interculturelle et vit dans une étonnante harmonie.
Klixstrasse 2, 10823 • 781 12 80
www.ev-apostel-paulus-kirchengemeinde.de
lun, mar, ven 10h-12h, jeu 17h-19h
Ⓤ7 Eisenacher Strasse

6. MAIRIE DE SCHÖNEBERG

GRA-TUIT

Ce gigantesque bâtiment construit en 1914 a été le siège du Sénat de Berlin-Ouest de 1949 à 1990. C'est de son balcon que John Kennedy lança en mai 1963 son célèbre "*Ich bin ein Berliner !*". Tous les midis, on entend sonner la "cloche de la liberté", offerte en 1950 par les dons de citoyens américains. On peut se rendre librement tout en haut du beffroi, mais le parcours n'est pas de tout repos (ascenseur, marches, escaliers étroits)... et la vue n'a rien d'exceptionnel. Des expositions historiques ont lieu chaque année.
John-F.-Kennedy-Platz 1, 10825 • 902770
www.berlin.de/ba-tempelhof-schoeneberg • tlj 10h-16h
(l'accès au clocher est fermé l'hiver en cas de mauvais temps) • expositions temporaires gratuites
Ⓤ4 Rathaus-Schöneberg

À TABLE !

7. FRITZ & CO

SNACK BIO

Enfin un bon *Currywurst* ! Dans ce snack typiquement berlinois, les frites sont faites avec des pommes de terre bio et les saucisses viennent de chez Neuland, un fournisseur de viande de qualité. Enfin, toutes les sauces sont faites maison. Des détails qui font toute la différence ! Le *Currywurst* avec frites coûte 5,50 €.

Wittenbergplatz, 10789 • 218 34 26
tlj 11h-21h • **U**1, **U**2, **U**3 Wittenbergplatz

8. HABIBI

VERY CHEAP

SNACK LIBANAIS

À Berlin, Habibi est le roi du falafel et du chawarma. On peut demander une assiette, mais on préfère manger les boulettes en sandwich dans du pain pita. Les jours de marché sur la place Winterfeldt (mercredi et samedi), le snack tourne à plein régime. Mais l'ambiance est si bon enfant qu'on trouve la patience de faire la queue. Pas d'alcool mais des jus d'orange et de carotte.

⋯⋗ *Le thé est offert gratuitement. Ouvert très tard !*

Goltzstrasse 24, 10781 • 215 33 32 • tlj 11h-3h, ven-sam jusqu'à 5h • **U**1, **U**2, **U**3, **U**4 Nollendorfplatz

9. CAFÉ DES ARTISTES

VERY CHIC

SUISSE/INTERNATIONAL

À première vue, on s'attend à un restaurant expérimental. Un coup d'œil sur la carte nous rassure : la cuisine est plutôt traditionnelle, avec quelques accents suisses – salade de chèvre chaud, soupe de poisson, filet de bœuf, röstis, goulasch Stroganoff... On croise aussi dans ce repaire d'artistes quelques leaders de la gauche social-démocrate. À côté, pour prolonger la soirée, le bar du même nom est ouvert à partir de 18h.

⋯⋗ *Le menu déjeuner est d'un excellent rapport qualité/prix : entrée-plat-dessert pour 14 €.*

Fuggerstrasse 35, 10777 • 23 63 52 49
www.artistico-berlin.de • lun-sam 12h-minuit • **U**1, **U**2, **U**3 Wittenbergplatz

10. MORE

INTERNATIONAL/GAY

Haut lieu de la scène gay à Berlin, More offre à la fois une cuisine de qualité et un service agréable. La gigantesque salle façon salon rétro pourrait servir de décor à une émission de variété des années 1970. La carte du soir, aux influences franco-italiennes, est variée : coq au vin, risotto, soupe de brocolis, osso-buco...

⋯⋗ *Tous les plats du business-lunch, servi jusqu'à 17h, sont à 4,50 ou 5,50 €.*

Motzstrasse 28, 10777 •23 63 57 02
www.more-berlin.de • lun-sam 9h-1h, dim 10h-1h • **U**1, **U**2, **U**3, **U**4 Nollendorfplatz

VERY CHIC

11. DUKE
FUSION

Le restaurant de l'hôtel Ellington a choisi l'ambiance des années 1920 pour servir ses clients. Nappes blanches et photographies du maître. Nous sommes dans la catégorie haute cuisine, aux envolées fusion intéressantes, comme la salade d'artichauts au chorizo. Le chef vous réserve d'autres surprises de qualité. On peut visiter la cave à vin dans l'ancien trésor. Le dimanche matin, "jazz-brunch" (brunch sur fond de concert jazz) entre 35 et 38 €.

···⟩ *Profitez à midi du business-lunch (2/3 plats 15/19,50 €, eau gazeuse, café et... parking compris).*

Nürnberger Strasse 50, 10789 • 683 15 40 00
www.duke-restaurant.com • tlj 11h30-23h • cartes
de crédit acceptées • Ⓤ3 Ausburger Strasse

13. RASTSTÄTTE GNADENBROT
ALLEMAND

Au royaume du mauvais goût, on n'est pas nécessairement malheureux. C'est le cas au Gnadenbrot avec son décor trash, agréable mélange de taverne, de station de métro et d'aire d'autoroute. L'ambiance y est sympathique, et la cuisine plutôt rustique. On va chercher son assiette dans le passe-plat – c'est l'occasion de jeter un coup d'œil dans la cuisine... Le lundi, c'est tarte flambée. Et mercredi, escalope panée !

Martin-Luther-Strasse 20a, 10777
21 96 17 86 • www.raststaette-gnadenbrot.de
tlj 15h-23h30 (jusqu'à minuit ven-sam)
Ⓤ1, Ⓤ2, Ⓤ3, Ⓤ4 Nollendorfplatz

12. OUSIES
GREC

Si les Grecs viennent ici, c'est que la cuisine doit avoir quelque chose d'authentique. Le décor aussi. Cette taverne un peu kitsch, avec son balcon dans la salle du fond, pourrait faire office de scène de théâtre. Mais tous ces objets venus de Grèce créent une atmosphère dépaysante qui met nos papilles dans l'ambiance. Le chef propose surtout des tapas grecques, les *mezedes*.

···⟩ *C'est toujours plein à craquer. Aucune chance de trouver une table sans réservation.*

Grunewaldstrasse 16, 10823
216 79 57 • www.taverna-ousies.de
tlj 17h-minuit • Ⓤ7 Eisenacher Strasse

VERY CHIC

14. SISSI
AUTRICHIEN

Décoré de tableaux de l'impératrice, Sissi est situé au beau milieu du quartier gay de Schöneberg. Dans une ambiance très détendue, on y propose un large choix de plats autrichiens traditionnels. La carte des vins autrichiens est excellente. Réservation conseillée car le nombre de tables est réduit.

Motzstrasse 34, 10777 • 21 01 81 01
www.sissi-berlin.de • tlj 12h-22h30
(jusqu'à 23h ven-sam)
Ⓤ1, Ⓤ2, Ⓤ3, Ⓤ4 Nollendorfplatz

AUTOUR D'UN VERRE...

15. 15.

15. GREEN DOOR

VERY CHIC

BAR À COCKTAILS

L'entrée, avec sa porte verte, fait penser à une remise... N'hésitez pas à sonner ! Derrière la façade morose se cache une adresse très connue. Le décor années 1960 est simple mais élégant. Les cocktails (pas moins de 150) sont excellents (à partir de 8 €). L'espace n'est pas bien grand, ce qui semble être apprécié dans cette ville gigantesque. On y est vite serré et ça favorise les contacts !

···▷ *Pourquoi un tel nom ? Le vert était la couleur des portes des bars servant illégalement de l'alcool pendant la Prohibition aux États-Unis.*
Winterfeldtstrasse 50, 10718
215 25 15 • www.greendoor.
de • tlj 18h-3h (happy hour
18h-21h) • Ⓤ1, Ⓤ2, Ⓤ3,
Ⓤ4 Nollendorfplatz

16. TOM'S BAR

BAR GAY

Véritable institution pour les rencontres gays à Berlin, le Tom's Bar n'a pas souffert de sa réputation qui dépasse désormais les frontières. Toujours plein, il reste l'un des meilleurs clubs gays de la capitale. La drague va bon train et se poursuit généralement dans les backrooms.

···▷ *Lundi, happy hour toute la nuit, soirée toujours très animée avec la formule "2 for 1" (deux boissons pour le prix d'une).*
Motzstrasse 19, 10777 • 213 45 70
www.tomsbar.de • tlj 22h-6h
Ⓤ1, Ⓤ2, Ⓤ3, Ⓤ4 Nollendorfplatz

17. HAFEN

BAR GAY

Un rendez-vous de drague légendaire. On repart toujours avec une âme sœur dans ce club en plein cœur du quartier gay. Comme au Tom's, le lundi c'est jour de fête. Ce jour-là, Hendryk est au commande du très divertissant Quizz-o-Rama (en anglais, le 1er lundi du mois). Carte des cocktails assez réduite (à partir de 6,50 €).
Motzstrasse 19, 10777 • 211 411 8 • www.hafen-berlin.de
tlj à partir de 20h
Ⓤ1, Ⓤ2, Ⓤ3, Ⓤ4 Nollendorfplatz

18. CAFÉ BERIO

BAR GAY

Il y a beaucoup de passage dans ce café hétéro-friendly, situé dans une rue commerçante près de la place du marché. Dans le style d'un café viennois, aménagé sur deux étages, le Berio est idéal pour boire un chocolat en journée ou un verre en soirée, dans une atmosphère dragueuse.

···⟫ *Happy hour de 18h à 20h.*

Maassenstrasse 7, 10777 • 216 19 46
www.cafeberio.de • lun-jeu 7h-minuit,
ven 7h-1h, sam 8h-1h, dim 8h-minuit
U1, U2, U3, U4 Nollendorfplatz

20. CAFÉ M

BAR DES ANNÉES 1980

Le M est une institution dans le quartier. Il existe depuis 30 ans et n'a pas changé avec son carrelage abîmé et ses tables en Formica. C'est l'un des plus appréciés de la très animée Golz-strasse. On s'y retrouve pour prendre un café entre amis ou lire le journal. L'ambiance monte après 22h.

···⟫ *Long drink à 3,80 € entre 20h et 22h.*

Golzstrasse 33, 10781 • 216 70 92 • lun-jeu
8h-2h, ven-sam open-end, dim 10h-minuit
U1, U2, U3, U4 Nollendorfplatz

19. TTT — VERY CHEAP

SALON DE THÉ

Dans cette boutique-salon de thé à l'ambiance détendue, on fait son choix parmi les 240 sortes de thés, que l'on peut accompagner d'une part de tarte ou de quelques pâtisseries exposées en vitrine.

···⟫ *Brunch le dimanche à 8,50 € de 10h à 15h (mieux vaut réserver).*

Goltzstrasse 2, 10781 • 21 75 22 40
www.teeteathe.de • lun-sam 9h-19h, dim et
jours fériés 10h-19h • U7 Eisenacher Strasse

21. EX 'N' POP

BAR ANTI-TENDANCE

Ce bar rappelle l'époque où Iggy Pop et David Bowie traînaient dans le quartier, lorsque Schoneberg était encore était encore le centre de la fête à Berlin. Rien n'a vraiment changé à l'intérieur de l'Ex 'N' Pop, assurent les clients. Ce bar anti-tendance est ouvert à la culture off ! Attention : ce n'est pas un endroit pour prendre un chocolat chaud avec une couverture sur les genoux !

Potsdamer Strasse 157, 10783
21 99 74 70 • www.exnpop.de • tlj à partir de
22h • U7 Kleispark

149

22. GARAGE KLEIDERMARKT

FRIPERIE

Si vous comptez vous rendre dans cette friperie, apportez une valise supplémentaire ! Ici, on achète les fripes au kilo des années 1960, 1970 et 1980 (à peser soi-même ; 17,99 € le kg). Les plus beaux articles sont néanmoins à prix fixe. Chaussures, pantalons, vestes... On déniche toujours de bonnes occasions pour le quotidien.

···▶ *La boutique accorde une remise de 30% le mercredi entre 11h et 13h.*

Ahornstrasse 2, 10787 • 211 27 60 • www.kleidermarkt.de
lun-ven 11h-19h, sam 11h-18h
U1, U2, U3, U4 Nollendorfplatz

UN PEU DE SHOP-PING

23.

23. BOYZ-R-US

MODE HOMME

La boutique gay Boyz-r-us, située dans le quartier gay, offre un large choix de vêtements tendance. Chaussures, pantalons, sous-vêtements... Tout ce dont vous avez besoin pour un look plutôt sexy. L'accueil est excellent. Le décor soigné nous invite à prolonger la visite.

Maassenstrasse 8, 10777
23 630 640 • www.boyz-r-us.de
lun-ven 11h-20h, sam 11h-20h
U1, U2, U3, U4 Nollendorfplatz

24. MAASSEN ZEHN

JEANS DE MARQUE

La bonne adresse pour acheter un jean pas trop cher (Levis à partir de 60 €) sans se prendre la tête. Les articles sont clairement disposés, les vendeuses sont compétentes et savent ce qu'il vous faut au premier coup d'œil.

Maassenstrasse 10, 10777
2155456 • www.maassenzehn.de
lun-ven 10h-19h, sam 10h-18h
U1, U2, U3, U4 Nollendorfplatz

25. MOBILIEN

GADGETS ET OBJETS DESIGN

Objets de déco design, gadgets, cartes postales, Mobilien est la boutique idéale pour trouver un souvenir ou un cadeau de dernière minute.

Goltzstrasse 13b, 10781 • 71 53 86 75
www.mobilien-berlin.de • lun-ven 11h-19h,
sam 11h-18h • U7 Eisenacher Strasse

26. MAMSELL

CHOCOLATS

En réalité, il y a trois boutiques chez Mamsell : celle du chocolat, celle de la vaisselle et celle du café. La chocolaterie présente un large éventail de chocolats venus du monde entier. On peut les faire emballer ou les déguster aussitôt en terrasse avec une part de tarte. L'accueil est si charmant qu'on se sent tout de suite en famille.

Goltzstrasse 48, 10781 • 92 12 29 00
lun-ven 10h-19h, sam 10h-17h, dim 14h-18h
Ⓤ7 Eisenacher Strasse

27. FIRLEFANZ

DÉCO ANNÉES 1930-1960

Quand on voit les objets de cette boutique, on se demande parfois si nos anciens n'avaient pas un grain dans les années 1960. Certains chapeaux et sacs à main seraient immettables aujourd'hui ! Firlefanz propose aussi des articles plus décents : vêtements, lampes, bijoux, accessoires et bien d'autres curiosités des années 1930 à 1960. Les prix sont raisonnables étant donné que ces objets sont introuvables sur les brocantes. La propriétaire a un faible pour les bijoux fantaisie américains.

Eisenacher Strasse 75, 10823
781 74 75 • www.firlefanz-berlin.de
lun-ven 14h30-18h30, sam 11h-15h
Ⓤ7 Eisenacher Strasse

28. MOTZSTRASSE

ARTICLES GAYS

Cette rue accueille de nombreux magasins d'articles gays et des boutiques d'antiquités.

Ⓤ1, Ⓤ2, Ⓤ3, Ⓤ4 Nollendorfplatz

29. TERRA MELODICA

DISQUAIRE

Amoureux de musique latine, un petit tour s'impose chez ce disquaire spécialisé. On y trouve des CD neufs, entre autres, de salsa, tango, cumbia, latin-jazz, mais aussi un vaste choix de musiques du monde, de tous les pays d'Amérique latine et d'Espagne, du Portugal ou du Cap-Vert.

Grunewaldstrasse 73, 10823
78703605 • www.terra-melodica.de
lun-ven 11h-19h, sam 11h-16h
Ⓤ7 Eisenacher Strasse

Kreuzberg

TURC, TRASH, ALTERNATIF

Après la chute du Mur, on craignait que ce quartier mythique des squats et des artistes ne connaisse un déclin culturel. C'est raté ! Kreuzberg est revenu en force sur la scène alternative ! Alors que ses concurrentes de l'Est Prenzlauer Berg et Friedrichshain s'embourgeoisent, Kreuzberg a retrouvé son pouvoir d'attraction. Le quartier regorge de milliers de petites boutiques et de cafés. Avec un tiers de la population d'origine turque, on l'appelle aussi la "petite Istanbul". Situé aujourd'hui au milieu de la ville (à l'époque du Mur, c'était le "bout du monde"), Kreuzberg est néanmoins soumis à une pression sur les prix de l'immobilier qui obligent les populations les plus modestes à quitter le centre.

REPÈRES

LE QUARTIER BOBO : autour de Bergmannstrasse
LE QUARTIER TURC ET ALTERNATIF : autour d'Oranienstrassse
LE QUARTIER QUI BOUGE : autour de Wrangelstrasse et de la
Weserstrasse

ESSENTIELS

LE MUSÉE JUIF/⊙5 : l'étonnant bâtiment ajouté au musée en
1999 par Daniel Libeskind est l'une des réussites architecturales de la
capitale. Le musée abrite 2 000 ans d'histoire des juifs d'Allemagne
(détails p. 158).
L'AÉROPORT DE TEMPELHOF/⊙1 : il a été le plus grand aéroport
d'Europe au début du siècle et fut le théâtre de la plus grande opération
aéroportée de l'Histoire (détails p. 156).
LE MARCHÉ ORIENTAL/⊙6 : un mélange des cultures au bord du
canal (détails p. 158).

Confidentiels

CAFÉ AM ENGELBECKEN/♥18 : dans un décor incroyable fait de
béton, de vieilles pierres et de verdure, c'est le plus bel endroit du centre
pour prendre un petit-déjeuner tranquille au soleil (détails p. 162).
"KREUZKÖLLN"/♥26 : à la limite de Kreuzberg et de Neukölln
(d'où le nom), c'est le quartier qui monte avec tous ses cafés autour
de la Reuter Platz et le long de la Weserstrasse (détails p.165).
LE QUARTIER DES ARTS BETHANIEN/⊙3 : lieu mythique des
squatters, des révoltes étudiantes et des interventions policières
musclées, le Bethanien est aujourd'hui un modèle de centre culturel
autogéré, dans un bâtiment de toute beauté (détails p. 157).
LE CENTRE CULTUREL DE L'ARENA/⊙2 : ce complexe culturel
est installé sur une friche industrielle au bord de l'eau, avec
notamment une superbe piscine dans la Spree (Badeschiff).
LA CHAMISSOPLATZ/⊙36 : cette place et les rues adjacentes
nous donnent une idée de ce que pouvait être Berlin en 1900.

Légende

- Visiter
- À table
- Autour d'un verre
- Un peu de shopping
- Sortir (voir chapitre spécifique p. 181)

N21
N20

HEIRICH-HEINE-STRASSE

HEINRICH-HEINE STR.

Spree

Köpenicker Strasse

Manannenplatz

18

7   3 12

15

Adalber Str.

Waldemarstrasse

Manteufelstr.

Pücklerstr.

30 34 4 N24

14   N22

SCHLESISCHES TOR   13

ssertorstr.

20   10

25

N25

22

GÖRLITZER BAHNHOF

STRASSE

N33

SKALITZER

Wrangelstr.

KOTTBUSSER TOR

24

23

SCHLESISCHESTR.

Kohlfurterstr.

KOTTBUSSER

Gönitzerstrasse

26

Wienerstrasse

33

Reichenbergerstrasse

36

Adalbertstr.

21

Glogauerstr.

27, N23

35

16

SCHÖNLEINSTRASSE
PAUL-LINKE-UFER

6

Maybachufer

Lohmühlenstrasse

Bouchestrasse

URBAN STRASSE

Graefestrasse

STRASSE

Reuter

Pannierstr.

HASENHEIDE

38

Weser

Weichselstrasse

Strasse

HERMANNPLATZ

KARL-MARX-STRASSE

SONNENALLEE

HERMANNSTR.

COLUMBIADAMM

1 Aéroport de Tempelhof

155

VISITER

Kreuzberg n' est pas seulement une "petite Istanbul". Il suffit de quitter Oranienstrasse avec ses boutiques turques et ses cafés déglingués pour découvrir des îlots de sérénité : le Görlitzer Park, la ferme des enfants, le quartier des artistes Bethanien, le plan d' eau de Michaelkirchplatz...

1. AÉROPORT DE TEMPELHOF

Construit dans les années 1920, agrandi par les nazis, l'ancien aéroport de Tempelhof fut le berceau de l'aviation allemande. C'est aussi l'un des endroits mythiques de la guerre froide. Entre juin 1948 et mai 1949, un pont aérien opéré par les Américains et leurs alliés Britanniques permit de sauver Berlin-Ouest du blocus communiste. Fermé en 2008, l'immense terminal de 1,2 km de longueur est aujourd'hui ouvert aux visites. Les anciennes pistes d'atterrissage forment un gigantesque espace public de 386 ha. Investies par les Berlinois, elles sont devenues un grand parc de loisirs et d'activités sportives. On est impressionné par autant d'espace libre au centre de la ville.

···⟩ *Pour trouver le point de rendez-vous (compliqué) des visites guidées, voir www.tempelhoferfreiheit. de/en/visit/tours/building-tours/meeting-point/*
Tempelhofer Damm 1-7, 12101 • www. tempelhoferfreiheit.de • visites guidées (2h30, 12 €) en allemand lun-jeu 16h, ven 13h et 16h, en anglais sam 15h et dim 10h30. Visites guidées en français sur demande au 20 00 37 441 • Ⓤ6 Platz der Luftbrücke

GRA-TUIT

2. ARENA

Une balade s'impose dans ce centre culturel multifonctions situé sur une friche industrielle abandonnée de l'ancienne frontière du mur de Berlin. On y trouve quelques bars, une boîte de nuit sur un bateau (le Hoppetosse, ouvert l'été), deux salles de concert (Glashaus et ArenaClub), un marché aux puces (sam et dim de 7h à 18h) et une superbe piscine découvert sur la rivière de la Sprée, le Badeschiff (ouvert seulement en été).

Arena • Eichenstrasse 4, 12435
www.arena-berlin.de
ouvert nuit et jour • gratuit
Ⓢ-Bahn Treptower Park
(10 minutes à pied),
Ⓤ1 Schlesisches Tor
(15 minutes à pied)

GRA-TUIT

3. QUARTIER DES ARTS BETHANIEN

L'ancien hôpital religieux (1847) occupé par le Bethanien est situé sur Marianen-platz, le grand rendez-vous des manifestations de squatteurs du Berlin-Ouest des années 1970-1980. Le Bethanien est connu dans toute l'Allemagne pour avoir été occupé en protestation contre sa privatisation. Investi depuis par des artistes du monde entier, il est devenu un modèle de centre culturel autogéré en accord avec la ville. Dans ses locaux cohabitent : une école de musique, un restaurant (3 Schwestern, p. 160), des ateliers d'artistes, une imprimerie, des associations caritatives, ainsi que des expositions d'art contemporain. Étonnant.

···▸ *La Kunstraum (902 981 455 ; www.kunstraumkreuzberg.de ; tlj 12h-19h ; entrée libre), galerie collective d'art contemporain installée au rez-de-chaussée, organise 6 expos par an (visites guidées possibles).*

Kunstquartier Bethanien • Mariannenplatz 2, 10997 • 493 06 3 37 • www.kunstquartier-bethanien.de • tlj 8h-minuit • **entrée libre** • Ⓤ1, Ⓤ8 Kottbusser Tor • Bus 140

4. MUSÉE DES CHOSES

Au musée des Choses, on retrouve tous les objets du quotidien au XXᵉ siècle. Téléphones, jouets, meubles, vaisselles... On est surpris à quel point les "choses" changent en 100 ans. Les plus grands reconnaîtront certains objets de leur enfance et pourront expliquer leur univers aux plus petits. Des expositions temporaires sont également au programme.

Museum der Dinge
Oranienstrasse 25, 10999 • 92 10 63 11
www.museumderdinge.de
lun, ven-dim 12h-19h
adulte/tarif réduit 5/3 €
Ⓤ1, Ⓤ8 Kottbusser Tor

5. MUSÉE JUIF

Agrandi par Daniel Libeskind en 1999, le Jüdisches Museum est l'un des lieux les plus visités de Berlin. L'aile ajoutée au bâtiment baroque est riche en interprétations. La façade en zinc zébrée d'espaces vides et les lignes morcelées et torturées du bâtiment évoquent les relations des juifs avec l'Allemagne. Le jardin de l'Exil et les axes souterrains ajoutent à cette interconnexion harmonieuse de l'architecture avec le contenu du musée. Le musée ne se concentre pas sur les persécutions mais sur les 2 000 ans d'histoire des juifs d'Allemagne.

***⇢ *En accès libre, le grand jardin permet d'avoir une autre perspective sur le bâtiment. On peut aussi y déjeuner, après avoir passé les contrôles de sécurité au préalable.*

Jüdisches Museum Lindenstrasse 9-14, 10969 • 25 99 33 00 • www.jmberlin.de lun 10h-22h, mar-dim 10h-20h • **tarif plein/réduit 5/2,50 €** • Ⓤ6 Kochstrasse ou Ⓤ1, Ⓤ6 Hallesches Tor

6. MARCHÉ ORIENTAL

On trouve de tout sur le marché oriental de Kreuzberg, le long du canal. Légumes, viande, fromages, épices, mais aussi vêtements. C'est l'un des endroits les plus vivants et les plus colorés du quartier. Femmes voilées, retraités, bobos ou hippies… ce marché est le symbole de la cohabitation pacifique des cultures qui fait tout le charme de Kreuzberg.

Orientalischer Markt • Am Maybachufer (au sud du canal) • mar et ven 11h-18h30
Ⓤ1, Ⓤ8 Kottbusser Tor ou Ⓤ8 Schönleinstrasse

GRA-TUIT

7. FERME DES ENFANTS

Une ferme associative en plein centre-ville, c'est du Kreuzberg tout craché ! Ici, les enfants peuvent nourrir et caresser des poneys, des brebis, des lapins, des cochons, des poules, des oies. L'endroit mérite un détour et pas seulement pour les enfants. Le mur de Berlin passait autrefois devant la ferme. C'est l'occasion de faire une balade le long de l'ancienne frontière.

····⟫ *Berlin compte en tout neuf fermes pour enfants.*

Kinderbauernhof am Mauerplatz • Leuschnerdamm 9, 10999 • www.kbh-mauerplatz.de
tlj 10h-18h (10h-17h en hiver) • **entrée libre (dons appréciés)** • Ⓤ1 ou Ⓤ8 Kottbusser Tor

8. MUSÉE ALLEMAND DES TECHNIQUES

Ce gigantesque musée inter-actif de 14 sections passionne surtout les enfants. Les adultes y trouveront aussi leur compte s'ils s'intéressent à l'histoire des technologies, des locomo-tives jusqu'aux systèmes de navigation GPS.

Deutsches Technikmuseum
Trebbiner Strasse 9, 10963
90 25 40 • www.sdtb.de
tarif plein/réduit 6/3,50 €
mer-ven 9h-17h30, sam-dim
10h-18h • Ⓤ1, Ⓤ2 Gleisdreieck

À TABLE !

9. MILAGRO

INTERNATIONAL

Milagro est un classique de Bergmann-strasse, le quartier bobo de Kreuzberg. Il attire aussi les touristes. On le comprend : c'est l'endroit idéal pour prendre un petit-déjeuner tardif ou un repas sans se ruiner jusqu'à 16h (soupe 3,90 €, plats 7-12,50 €), dans une atmosphère de brasserie au léger accent français.

Bergmannstrasse 12, 10961 • 692 23 03
www.milagro.de • tlj 9h-1h • U6, U7
Mehringdamm ou U7 Gneisenaustrasse

11. A. HORN

INTERNATIONAL

Pour passer un moment tranquille, rien de mieux que ce café-restaurant au bord du canal. On y vient en famille pour grignoter cookies, muffins ou bagels préparés dans une cuisine ouverte.

••••⟩ *À midi, salades, pâtes et soupes sont confectionnées sous vos yeux par le chef pour moins de 10 €.*

Carl-Herz-Ufer 9, 10961 • 60 05 98 88
lun-ven 8h-22h, sam-dim 9h-22h
U1 Prinzenstrasse

10. HASIR [VERY CHEAP]

TURC

C'est dans ce restaurant qu'on aurait vendu le premier *döner kebab* d'Europe au début des années 1970. Depuis, le sandwich turc est plus vendu que les hamburgers en Allemagne. Hasir a obtenu plusieurs fois le prix du "meilleur kebab de Berlin". Et il le mérite amplement. Le pain est croquant, la salade fraîche et la viande bien cuite (à emporter ou à déguster sur place, 2,50 €). Depuis, six filiales ont vu le jour dans la capitale.

Adalbertstrasse 10, 10999 • 614 23 73
www.hasir.de • tlj 24h/24
U1, U8 Kottbusser Tor

12. 3 SCHWESTERN

EUROPÉEN

Le "restaurant des trois sœurs" se trouve dans la maison des artistes, un hôpital religieux reconverti en centre culturel, symbole des squats de Berlin-Ouest (p. 157). Le restaurant incarne ce nouveau Kreuzberg, modernisé et tendance bobo. Il propose une cuisine familiale de qualité à des prix très abordables (plat du jour 6,50 €, plats 12-16 €). La déco, s'inspirant du passé religieux du lieu, a su jouer sur la sobriété, les beaux volumes et les angles arrondis de la salle.

••••⟩ *Profitez-en pour faire un tour dans le centre culturel Bethanien et notamment à la Kunstraum (voir p. 157).*

Mariannenplatz 2, 10997 • 600 31 86 00
www.3schwestern-berlin.de • mar-dim
à partir de 11h (sam-dim petit-déj jusqu'à
16h) • U1, U8 Kottbusser Tor

13. RIO GRANDE

VERY CHIC

AUTRICHIEN

On y vient surtout pour la vue sur l'East Side Gallery (voir p. 172) et la Spree, rebaptisée Rio Grande par la patronne. Pourquoi ? "Une idée comme ça !" plaisante-t-elle avec son léger accent autrichien. L'ambiance est "nouveau chic" dans ce quartier plutôt trash. La carte offre exclusivement des plats autrichiens (plats 11,50-18,50 €).

···❭ *À midi, le Rio Grande propose un menu à 7,20 € (deux plats) ou 9,20 € (trois plats).*

May-Ayim-Ufer 9, 10997 • 61 07 49
81 • www.riogrande-berlin.de • tlj
10h-minuit (service jusqu'à 23h)
🚇1 Schlesisches Tor

15. MAX UND MORITZ

ALLEMAND

Une adresse incontournable du quartier. C'est l'un des plus anciens restaurants de Berlin. Le décor est d'origine, les plats typiquement allemands. "Ici, on sert de vraies portions. Rien à voir avec la nouvelle cuisine", souligne le patron. Jambonneau, choucroute, plateau de charcuterie... On peut dire qu'on en a pour sa faim et son argent (tartes flambées 6-9 €, plats 9-15 €).

···❭ *Max und Moritz sont les deux garnements de la bande dessinée allemande de Wilhelm Busch, célèbre dessinateur et poète allemand.*

Oranienstrasse 162, 10969 • 69 51 59 11
www.maxundmoritzberlin.de
tlj à partir de 17h
🚇8 Moritzplatz

14. WELTRESTAURANT MARKTHALLE

VERY CHEAP

ALLEMAND

La réputation de ce restaurant n'est plus à faire. Il est toujours plein et les serveuses sont souvent débordées. Installez-vous au bar et attendez une place en commandant une bière. Établi dans un ancien marché couvert, le Weltrestaurant propose de bons plats traditionnels (soupes 3,60 €, plats 7,50-12 €). Pas de déco particulière et pas de musique de fond (on apprécie à Berlin !). Quentin Tarantino y déjeune quand il est dans la capitale allemande. Le week-end, on peut se rendre en bas, au Privatclub, une boîte de nuit bon enfant.

···❭ *Le menu déjeuner (plat avec entrée ou dessert) est à 7,50 € (lun-ven 12h-16h).*

Pücklerstrasse 34, 10997 • 617 55 02
www.weltrestaurant-markthalle.de
tlj à partir de 10h • 🚇1 Görlitzer Bahnhof

16. VOLT

VERY CHIC

NOUVELLE CUISINE ALLEMANDE

Situé au bord du canal, dans un ancien entrepôt aux grands volumes, le Volt est un classique. C'est chic, mais comme on est à Kreuzberg, l'ambiance est détendue. Le chef est un adepte de la nouvelle cuisine allemande, osant ainsi des associations surprenantes comme le lapereau aux coquilles Saint-Jacques marinées. Mais il aime aussi les plats traditionnels. Laissez-vous tenter par un menu (de 38 à 58 €) avec des vins proposés par la maison à chacun des quatre plats (5 € le verre).

Paul-Linke-Ufer 21, 10999 • 61 07 40 33
www.restaurant-volt.de • lun-sam 18h-minuit
(service jusqu'à 23h) • 🚇8 Schönleinstrasse

AUTOUR D'UN VERRE...

18.

19.

JUNCTION BAR

17. GOLGATHA

BIERGARTEN DANSANT

Ce café étonnant se trouve en haut de la colline du Viktoriapark. On y boit, on y mange, on y danse. Tout cela dans une ambiance très familiale pendant la journée (une grande aire de jeux pour enfants vient d'ouvrir juste à côté). La nuit, c'est plus animé. Rien de mieux pour boire un verre à l'air libre, dans le *biergarten* ou sur la terrasse en haut, surtout lorsque le ciel est dégagé et que la lune brille sur Berlin.

⇢ *Le parc avec ses cascades mérite aussi une balade en journée.*

Dudenstrasse 40 (dans le Viktoriapark), 10965 • 785 24 53
www.golgatha-berlin.de
ouvert avr-sept, tlj 10h-6h
U7 ou **S**-Bahn Yorkstrasse,
U6 Platz der Luftbrücke

18. CAFÉ AM ENGELBECKEN

VERY CHIC

CAFÉ

Il faut y aller au coucher ou au lever du soleil. La terrasse, entourée de roseaux, donne sur un grand bassin rénové depuis 2006, situé au beau milieu des HLM de Kreuzberg. Un paysage hallucinant. Autrefois, les péniches circulaient ici, le long de canaux. L'hiver, on se réchauffe à l'intérieur. Mais c'est tout aussi agréable pour boire un cappuccino (2,20 €) ou siroter une bière (0,5 l à 3,20 €).

Michaelkirchplatz, 10179 • 0157 889 47 09
www.cafe-am-engelbecken.de • tlj 10h-minuit
U8 Heinrich-Heine-Strasse

19. JUNCTION BAR

CAFÉ-CONCERTS

Ce bar a été l'un des principaux rendez-vous du jazz à Berlin. Depuis quelques années, l'offre musicale s'est élargie au rock, au blues et à la soul. Après les concerts (deux à trois fois par semaine), un DJ s'installe aux platines et fait chauffer la piste.

⇢ *Mardi, mercredi et jeudi entrée libre pour la soirée DJ à 23h30.*

Gneisenaustrasse 18, 10961 • 694 66 02
www.junction-bar.de • concerts 6 €, soirée DJ 4 €
(bon boisson de 3 € à payer en supplément).
Si on paie le concert, l'entrée DJ est offerte.
U6, **U7** Mehringdamm ou **U7** Gneisenaustrasse

20. WÜRGEENGEL

BAR

Pour Kreuzberg, l'endroit est plutôt stylé. Nommé d'après le film de Luis Buñuel (*L'Ange exterminateur*), ce bar est apprécié des cinéphiles. De nombreux clients viennent prendre un verre après un film au cinéma Babylon (l'un des rares cinémas à passer des films en VO), juste à côté. Les cocktails sont faits par des pros (à partir de 8 €).

Dresdener Strasse 122, 10999
615 55 60 • www.wuergeengel.de
tlj à partir de 19h
U1, U8 Kottbusser Tor

21. ANKERKLAUSE

PUB

Un classique des virées nocturnes de Kreuzberg. Situé au bord du canal, ce bar est toujours plein à partir de minuit. C'est plutôt sympa, surtout quand il faut se frayer un chemin dans la foule pour atteindre le comptoir (bière 30 cl 2 €). Il faut s'attendre à rester debout dans cette joyeuse cohue. Mais c'est l'occasion de faire des rencontres.

····⟩ *La soirée du jeudi est la plus animée, notamment le premier jeudi du mois, pour la soirée dansante avec DJ (entrée 3 €). Tous styles de musiques.*

Kottbusser Damm 104, 10967 • 693 56 49
www.ankerklause.de •
lun 16h-3h,
mar-dim 10h-3h • U1, U8 Kottbusser Tor
ou U8 Schönleinstrasse

22. MILCHBAR

BAR

Un bar trop sombre, un comptoir trop long, une musique trop forte, des serveurs trop bougons... Et pourtant, c'est sympa ! On est dans le Kreuzberg historique des bars de nuit trash. Le Milchbar, tout le monde connaît. On en ressort abasourdi au petit matin. La bière d'un demi-litre est à 3 €.

····⟩ *On y célèbre aussi la fête de la bière en octobre.*

Manteuffelstrasse 41, 10997 • 611 70 06 • www.milchbar-berlin.de
tlj à partir de 17h • U1 Görlitzer Bahnhof

163

23. WIENER BLUT

BAR

Un grand classique de la Wienerstrasse. Le Wiener Blut est un bar typique de Kreuzberg, bruyant et sympa. La décoration n'a pas changé depuis 20 ans. Le bar est le rendez-vous de fans – mesurés – de football (ouvert à 15h le samedi pour les matchs de la Bundesliga). Un DJ vient mixer le jeudi, pour se mettre en jambe. Le samedi, c'est la fête jusqu'à pas d'heure.

Wiener Strasse 14, 10999
lun-sam à partir de 18h
dim à partir de 16h
Ⓤ1 Görlitzer Bahnhof

24. MORENA BAR

CAFÉ

L'un des cafés les plus élégants de Kreuzberg avec ses azulejos. On vient ici pour se détendre et lire le journal. Le Morena ("brune" en espagnol) est un endroit où l'on commande volontiers un chocolat chaud plutôt qu'une bière. À travers les grandes baies vitrées, on peut observer toute la faune de ce quartier haut en couleur.

···⟶ *On y sert aussi d'excellents petits-déjeuners.*

Wiener Strasse 60, 10999
6113578 • www.cafe-morena.de
tlj 9h-2h • Ⓤ1 Görlitzer Bahnhof

25. BATEAU IVRE

CAFÉ

Situé au cœur du Kreuzberg nocturne, le Bateau ivre (nommé d'après le célèbre poème de Rimbaud) attire une foule bigarrée. Près du bar, on peut observer les fêtards du quartier passer dans la rue. Sur la mezzanine, on est plus tranquille pour discuter. Un endroit agréable pour finir la soirée ou pour la commencer. Toujours plein.

Oranienstrasse 18, 10999 • 61 40 36 59
tlj 9h-3h (plats chauds servis jusqu'à 16h, tapas et gâteaux jusqu'à minuit) • Ⓤ1 Görlitzer Bahnhof

26. KREUZKÖLLN

VERY CHEAP

BARS ET CAFÉS

"Kreuzkölln" (surnom du quartier de la Reuterplatz) est l'endroit qui monte à Berlin, notamment le long de la Weserstrasse. Les bars y fleurissent à la vitesse grand "V". Ils sont souvent rudimentaires (par exemple, pas de bière pression mais en bouteille). C'est l'occasion d'aller faire un tour dans ce quartier très populaire qui fait souvent l'objet de reportages sur la société multiculturelle à l'allemande et sur l'intégration des étrangers.

Weserstrasse, 10967
Ⓤ8 Hermannplatz

27. CLUB DER VISIONÄRE

BAR D'ÉTÉ

Ambiance assurée dans ce bar construit au bord de l'eau. Dès le mois de mai, le "club des visionnaires" attire toute la jeunesse tendance de Berlin, qui vient profiter de la fraîcheur du canal et boire un verre sur sa terrasse sur l'eau. Pour caler une petite faim, le bar fait des pizzas cuites au feu de bois plutôt bonnes.

┉➤ *Face à l'affluence, le patron a décidé de faire payer l'entrée à partir de 16h (2 €). Mais il y a d'autres cafés du même genre le long du canal avec entrée gratuite.*

Am Flutgraben 1, 12435 • 69 51 89 42
www.clubdervisionaererecords.com
ouvert 1ᵉʳ mai-fin sept, lun-ven à partir de 14h, sam-dim à partir de 12h
Ⓤ1 Schlesisches Tor

28. MARHEINEKE MARKTHALLE

MARCHÉ COUVERT

Entièrement rénové et modernisé, le marché couvert de Marheineke est resté l'un des points de rencontre des habitants du quartier bobo de Bergmannstrasse. Il rassemble de nombreux stands de produits régionaux, internationaux et bio.

⟶ *On peut manger un morceau dans l'un des nombreux snacks (falafels, buffet bio, italien, glaces...).*

Marheinekeplatz, 10961 • 398 96 10
www.meine-markthalle.de • lun-ven 8h-20h, sam 8h-18h
Ⓤ6, Ⓤ7 Mehringdamm ou Ⓤ7 Gneisenaustrasse

UN PEU DE SHOP-PING

29. DOCURA

CHOCOLATS DU MONDE

Pas de panique, il y aura du chocolat pour tout le monde ! De la tablette vendue en supermarché suisse aux chocolats belges de première qualité, en passant par les bonbons brésiliens, cette petite boutique rassemble des chocolats de toute la planète et à tous les prix. Idéal pour un cadeau.

Zossener Strasse 20,
10961 • 81 79 73 99
www.docura-berlin.de
lun-ven 11h-19h, sam 11h-16h
Ⓤ6, Ⓤ7 Mehringdamm
ou Ⓤ7 Gneisenaustrasse

30. FRITZ SCHMUCK

BIJOUTERIE-ATELIER

Fritz, c'est le nom du patron. Il fabrique ses bijoux et vend également ceux d'autres créateurs dans un superbe atelier donnant directement sur Oranienplatz. On y travaille tous les jours sous les regards des passants. Il n'est pas interdit d'y entrer !

⟶ *Des expositions temporaires sont aussi organisées dans la boutique.*

Dresdener Strasse 20, 10999 • 615 17 00
www.schmuckfritz.de • lun-ven 10h-19h, sam 11h-16h
Ⓤ1, Ⓤ8 Kottbusser Tor

31. SCHMUCKGALERIE AQUAMARIN

VERY CHIC

BIJOUTERIE

Lucie Schnurrer a organisé sa boutique comme une galerie. Elle expose des centaines de pièces de créateurs allemands et européens, des plus classiques aux plus excentriques.

Bergmannstrasse 20, 10961 • 693 34 40
www.schmuckgalerie-aquamarin.de • lun-ven 11h-19h,
sam 11h-16h • Ⓤ7 Gneisenaustrasse

32. BONNIE UND KLEID

MODE RÉTRO D'OCCASION

Rien de plus facile que de rater l'entrée de cette boutique située en sous-sol. De la rue, rien ne laisse deviner cette caverne d'Ali baba souterraine, dont les couloirs regorgent d'objets les plus fous ! Bonnie & Kleid ("robe" en allemand) vend des vêtements, des chaussures, des vinyles et tout un tas d'objets dont on n'aurait pas eu idée en entrant.

Gneisenaustrasse 9, 10961
69 50 96 84 • lun-sam 12h-20h
Ⓤ6, Ⓤ7 Mehringdamm ou Ⓤ7 Gneisenaustrasse

33. HARD WAX

VINYLES TECHNO

Ce disquaire est une véritable institution. Ouvert juste après la chute du Mur, Hard Wax a grandi avec le mouvement techno. Les DJ du monde entier viennent ici, au 3e étage de cette arrière-cour de Kreuzberg, pour y dénicher les sons de demain. Véritable temple de la techno, on y trouve des pépites parmi les rangées infinies de bacs.

···👉 *Envois internationaux possibles.*

Paul-Linke-Ufer 44a, 10999 • 61 13 01 11 • www.hardwax. com • lun-sam 12h-20h • Ⓤ1, Ⓤ8 Kottbusser Tor

34. LOUPIOTTE

LUMINAIRE

Les jolies lampes en papier de Catherine Grigull, aux lignes graphiques et poétiques, décorent plusieurs cafés de Berlin, dont le Bateau ivre à Kreuzberg (voir p. 164). Une petite boutique pleine d'idées lumineuses à tous les prix !

···👉 *Téléphoner pour être sûr de trouver quelqu'un ! Loupiotte est un atelier avant d'être une boutique.*

Dresdener Strasse 20, 10997 • 23 61 61 31
www.loupiotte-leuchten.de • jeu 11h-19h, ven 11h-20h, sam 11h-17h ou sur rendez-vous • Ⓤ1, Ⓤ8 Kottbusser Tor

35. KADÓ

RÉGLISSES

Une merveilleuse boutique, comme celle de nos grands-mères, remplie de grands bocaux de verre regorgeant de réglisses de toutes les tailles et de toutes les couleurs. Les réglisses se paient au poids et sont servis dans des cornets en papier.

···👉 *Kadó est aussi présent entre 10h et 15h sur les marchés de Kollwitzplatz (p. 60), de Winterfeldplatz (p. 144) et de Hackescher Markt.*

Graefestrasse 20, 10967
69 04 16 38 • www.kado.de
mar-ven 9h30-18h30,
sam 9h30-15h30
Ⓤ8 Schönleinstrasse

Friedrichshain

CHIC ET REBELLE

Ceux qui sont venus à Friedrichshain après la chute du Mur ne reconnaîtront pratiquement plus rien aujourd'hui. L'ancien quartier prolétaire est-allemand, autrefois noirci par les fumées du chauffage au charbon, a subi une cure radicale de rénovation. Friedrichshain a pris des couleurs avec ses cafés et ses boutiques tendance. Mais le quartier a su garder son cachet "rebelle". Les graffitis fleurissent toujours sur les murs et les derniers squats arrivent encore à survivre aux appétits des promoteurs et aux interventions de la police. Pour combien de temps encore ?

REPÈRES

LE QUARTIER TENDANCE : Simon-Dach-Strasse et Boxhagener Platz
LE QUARTIER DU MUR : le long de la rivière Spree
LE QUARTIER CHIC ET REBELLE : autour de Samariterstrasse

ESSENTIELS

L'EAST SIDE GALLERY/⊙1 : une balade le long de ce morceau de Mur transformé en galerie à ciel ouvert donne l'occasion de ressentir ce que représentait la division de la ville (détails p. 172).
LE SIÈGE DE LA STASI/⊙4 : une visite au musée de la Stasi, au cœur du système de surveillance de la population, nous permet de comprendre toutes les aberrations de la dictature communiste (détails p. 173).
LA KARL-MARX-ALLEE/⊙5 : plus large que les Champs-Élysées, ce gigantesque boulevard a gardé son cachet soviétique entre la Frankfurter Tor et l'"Alex" (Alexander Platz). Détails p. 68.

Confidentiels

LE MÉMORIAL SOVIÉTIQUE/⊙6 : caché au milieu d'un grand parc, ce gigantesque monument à la gloire des soldats de l'Armée rouge incarne à lui seul le délire de la propagande soviétique (détails p. 173).
LE PARC DE FRIEDRICHSHAIN/⊙3 : pour faire une balade dans l'un des parcs les plus reposants de la capitale (détails p. 173).
LE CENTRE CULTUREL ALTERNATIF CASSIOPEIA/🍴18 : quand les jeunes Berlinois prennent d'assaut une ancienne gare à l'abandon (détails p. 177)...
LA KNORRPROMENADE/⊙29 : la plus belle rue du quartier de la Boxahagener Platz est une invitation au voyage dans le Berlin d'autrefois.

Am Friedrichshain
Danziger Strasse
Landsberger Allee
Friedenstrasse
14
3
Landsberger Allee
Landsberger Allee
Petersburger Strasse
Ebertystrasse
Hausburgstrasse
Richard-Sorge-Strasse
Thaerstrasse
27
Strasse
Friedenstrasse
Palisadenstrasse
Strausberger Platz
12
11
Weidenweg
Karl - Marx - Allee
Weberwiese
21
5
Frankfurter Tor
Lichtenberger
Krautstrasse
Singerstr.
Andreasstrasse
Koppenstrasse
Rudersdorfer Str.
Kommune
Marchlewskistrasse
Grunberger Strasse
Warschauer Strasse
25
Simon-Dach-Str.
Holzmarktstr.
Ostbahnhof
N26
Kopernikusstr.
N42
Stralauer Pl.
20
Strasse Der Pariser
16
24
Revaler
N27
18
1
Warschauer Strasse
Muhlenstrasse
8
Rudolfstr.
Ehrenberg Str.
26
2
Stralauer
Spree

Légende

⊙ Visiter
🍴 À table
🍷 Autour d'un verre
🏷 Un peu de shopping
🌙 Sortir (voir chapitre spécifique p. 181)

STORKOWER STRASSE

Ⓢ STORKOWER STRASSE

STORKOWER STRASSE

Hermann-Blankenstein-Strasse

Eldenaer Strasse

🍴 13

Scheffelstrasse

Bänschstrasse

Pettenkoferstrasse

MÖLLENDORFFSTRASSE

Bornitzstr.

Ruschestrasse

Rigaer Strasse

Proskauer Str.

🍷 19

Ⓤ SAMARITER STRASSE

Normannenstrasse

FRANKFURTER ALLEE

Ⓢ FRANKFURTER ALLEE

⊙ 4

MAGDALENEN STRASSE Ⓤ

BOXHAGENER

Colbestr.

22 🍷

Scharnweberstrasse

Jung Str.

Weichsel Str.

Jessner Str.

Gürtelstrasse

STRASSE

15 🏷

10 🏷

Gärtnerstr.

🔔 28

Weserstrasse

Schulze-Boysen-Str.

7 🍴

Wühlisch

9 🍴

Wiesenweg

Wodersohnstr.

23 🍴

Simplonstr.

Strasse

17 🍷

Strasse

OSTKREUZ

Ⓢ

MARKT STR.

HAUPTSTRASSE

Plarrstrasse

MARKGRAFENDAMM

Persiusstr.

ALLEE

500 m

TREPTOWER PARK
Ⓢ *Vers* 6 ⊙ *dans*
↘ *Treptower Park*

171

VISITER

Il n' y a pas de meilleur endroit pour replonger dans la parenthèse communiste est-allemande : la Karl-Marx-Allee, le siège de la Stasi, le Mur de la honte à l' East Side Gallery, l' ancienne frontière de l' Oberbaumbrücke et enfin le gigantesque mémorial soviétique perdu dans le parc de Treptow... le passé communiste revu en un après-midi.

1. EAST SIDE GALLERY ET EAST SIDE PARK

Cent dix-huit artistes de 21 pays sont venus peindre une portion du Mur, sur 1,3 km, au printemps 1990 alors que l'Allemagne et Berlin n'étaient pas encore réunifiés. Aujourd'hui, elle est considérée comme la plus grande galerie de peintures à ciel ouvert du monde. En 2009, 87 artistes sont revenus peindre le Mur une seconde fois. Depuis 2007, les berges de la Spree derrière l'East Side Gallery ont été aménagées en espace de loisir. Autrefois, l'East Side Park était foulé par la police de la frontière est-allemande (Vopos). Le chemin de ronde a été conservé comme témoignage historique.

····⸪ *L'East Side Gallery est un monument historique depuis 1991. Il est donc déconseillé d'en prendre un morceau comme souvenir.*

www.eastsidegallery-berlin.de • ①1 ou ⑤-Bahn Warschauer Strasse • Tram M10 (terminus)

2. OBERBAUMBRÜCKE – ANCIENNE FRONTIÈRE

Ce pont néogothique de la fin du XIXe siècle sur lequel passe le métro U1 a été un symbole de la division de la ville pendant 28 ans. C'était le point de passage à l'Est pour les Berlinois de l'Ouest (les étrangers passaient par Checkpoint Charlie). La vie a repris son cours tout autour de ce pont de 150 mètres qui fait le lien entre Friedrichshain et Kreuzberg.

····⸪ *En juillet, le pont est le théâtre d'une bataille en costumes fantaisistes. Les armes ? Des fruits et légumes ayant dépassé la date de péremption.*

①1 ou ⑤-Bahn Warschauer Strasse • Tram M10 (terminus)

5. PARC DE FRIEDRICHSHAIN

Un merveilleux parc ! Le Volkspark Friedrichshain est le rendez-vous des citadins de toutes les classes sociales. On vient ici en famille pour se reposer. La colline (Mont Klamott) au milieu est un ancien bunker détruit en 1946 et recouvert de gravats – des pans de mur sont encore visibles. On peut se rendre à pied tout en haut. Attention, ça monte ! À l'extrémité nord-ouest de ce parc de 49 ha se trouve le bassin néobaroque orné de statues de la fontaine des Fables (Märchenbrunnen), construite en 1913.

···▷ *Le parc compte trois mémoriaux : celui des combattants de la guerre d'Espagne, le mémorial de Frédéric le Grand reconstruit en 2000 et celui des combattants antifascistes polonais et allemands (assez impressionnant).*

Volkspark Friedrichshain • 24h/24 • Tram M4, M10 • Bus 200

4. SIÈGE DE LA STASI

Une visite du siège de la Stasi nous plonge au cœur de l'outil répressif du régime est-allemand. À la tête de cette "armée de l'ombre", on comptait 61 généraux dirigés par le sinistre Erich Mielke. De 1950 à 1989, le nombre d'employés est passé de 2 700 à 90 000 personnes, un monstre administratif travaillant avec les "indics" de la population. La Stasi comptait 190 000 collaborateurs qui dénonçaient leurs voisins, leurs collègues de bureau, voire leur propre famille.

···▷ *Pour trouver l'entrée, pénétrer dans l'enceinte et suivre les panneaux indicateurs "Haus 1".*

Stasimuseum • Ruschestrasse 103, Haus 1, 10365 • 553 68 54 • www. stasimuseum.de • lun-ven 11h-18h, sam-dim 14h-18h • **tarif plein/réduit 5/4 €**
Ⓤ5 Magdalenenstrasse

5. FRANKFURTER TOR

Au pied des tours, on se croirait un peu à Moscou. Nous sommes pourtant à Berlin dans la Karl-Marx-Allee, grande artère plus large que les Champs-Élysées, qui mène à Alexander Platz. Au n°131, le cinéma Kosmos était le plus grand et le plus prestigieux cinéma de la RDA. Dans les immeubles classés monuments historiques, d'anciennes boutiques de l'Est ont été conservées. C'est l'un des derniers endroits authentiques de l'époque communiste (voir aussi p. 68).

Ⓤ5 Frankfurter Tor • Tram M10

6. MÉMORIAL SOVIÉTIQUE

Au cœur du Treptower Park, ce gigantesque mémorial dédié aux combattants de l'Armée rouge de la Seconde Guerre mondiale abrite les sépultures de 4 800 soldats soviétiques tués pendant la bataille de Berlin en mai 1945. Au fond se dresse la statue en bronze d'un soldat portant un enfant allemand dans les bras et foulant au pied une croix gammée brisée. On peut encore lire des citations de Staline, minutieusement restaurées, sur les sarcophages en pierre qui bordent la pelouse.

Sowjetisches Ehrenmal • Treptower Park
24h/24 • Ⓢ-Bahn Treptower Park

À TABLE !

7. SCHNEEWEISS — VERY CHIC

AUTRICHIEN

Tout est blanc comme neige dans ce restaurant autrichien. Dans les assiettes, c'est plus coloré : superbes escalopes viennoises, ragoût du Tirol, filet de Sandre et pot-au-feu autrichien (*Tafelspitz*). Les samedis et dimanches, on peut déguster toutes sortes de créations au buffet du petit-déjeuner (12,90 €, servi jusqu'à 16h), à réserver plusieurs jours à l'avance. Excellents desserts !

Simplonstrasse 16, 10245 • 29 04 97 04
www.schneeweiss-berlin.de • lun-ven 18h-1h, sam-dim 10h-1h (cuisine jusqu'à 23h) • U1 et S-Bahn Warschauer Strasse, ou S-Bahn Ostkreuz • Tram M10

8. MICHELBERGER HOTEL

ALLEMAND

Fréquenté aussi bien par des manne-quins danois et des stars du rock que par monsieur Tout-le-monde, le restaurant Michelberger propose à midi une cuisine novatrice : *Schupfnudeln* (pâtes à base de pommes de terre) sauge et parmesan, ou soupe de persil à l'huile de graines de potiron. Situé en face du terminus du métro, le restaurant de l'hôtel Michelberger res-semble à une cantine. Mais avec du style !

Warschauer Strasse 39-40, 10243
www.michelbergerhotel.com
29 77 85 90 • lun-ven 12h-15h • U1 ou S-Bahn Warschauer Strasse • Tram M10

9. PROVIANT — VERY CHEAP

TRAITEUR

On peut faire un arrêt déjeuner (ou petit-déjeuner) chez cet excellent traiteur. En plus des produits italiens directement importés (fromages, jambons, etc.) qu'on choisit pour une assiette composée, Proviant propose aussi chaque jour un plat chaud avec du pain frais. La boutique est située dans une rue très animée. Si possible, prenez une table près de la fenêtre !

Wühlischstrasse 39a, 10245 • 29 00 11 74
www.proviant-berlin.de • lun-ven 9h-2oh, sam 9h-18h, dim 11h-17h • U1 et S-Bahn Warschauer Strasse, S-Bahn Ostkreuz, Tram M10, M13

10. SCHWARZER HAHN — VERY CHEAP

CUISINE RÉGIONALE

Quand on entre au "coq noir", on se sent tout de suite bien, comme en famille. Le chef s'applique à faire une cuisine de qualité avec des produits locaux. "Les plats doivent avoir le goût du pays", insiste Jan Uecker. La spécialité de la maison : les gnocchis, préparés sur place avec du beurre de sauge. Mais on peut aussi goûter aux raviolis souabes ou à la terrine de saucisse (*Leberkäse*). Les prix des plats vont de 14 à 16 €.

⋯⋙ **À midi, le plat du jour est à 6,80 €.**

Seumestrasse 23, 10245 • 21 97 03 71
www.schwarzerhahn-heimatkueche.de
lun-ven 12h-22h, sam 18h-22h
U1 ou S-Bahn Warschauer Strasse, ou S-Bahn Ostkreuz • Tram M10

11. UMSPANNWERK OST

VERY CHIC

INTERNATIONAL

Beaucoup de clients dînent ici avant ou après un spectacle au théâtre du Crime (Kriminaltheater), ce qui donne à l'Umspannwerk Ost une ambiance animée. Le restaurant se trouve dans le même bâtiment que le théâtre, une ancienne usine faite de briques et de poutres d'acier. Caché dans une petite rue située derrière la Karl-Marx-Allee, il dispose d'une cuisine ouverte (plats 11,50-21 €). De l'étage, on peut observer les cuisiniers à l'œuvre.

···> *Service en cuisine assuré jusqu'à minuit.*
Palisadenstrasse 48, 10243 • 42 80 94 97
www.umspannwerk-ost.de • tlj 11h30-minuit
Ⓤ5 Weberwiese

12. MARU

CORÉEN TRADITIONNEL

En 2005, il a été le premier restaurant "chic" à ouvrir ses portes dans le quartier encore alternatif de Friedrichshain. Dans un cadre sobre, le Maru propose une cuisine coréenne traditionnelle (plats de 3 € à 19 €) bien assaisonnée avec naturellement le fameux "kimchi" pimenté avec du chou chinois fermenté. Le cuistot est un adepte de la cuisine fusion et propose aussi des créations avec des plats mêlant saveurs coréennes et japonaises.

···> *Le Maru ne peut pas accueillir plus de 40 personnes.*
Rigaerstrasse 74, 10247 • 26 54 56 52 • mar-dim 17h-24h
Ⓤ5 Frankfurter Tor ou Samariter Strasse

13. VINERIA DEL ESTE

ESPAGNOL

Le coin est très hispanophone dans cet ancien quartier rebelle de Friedrichshain. Tenue par un Uruguayen, la Vineria propose d'excellentes tapas. À la carte, du poisson (15 €), des pâtes (7,50 €) et parfois, pour les amateurs, des abats comme de la langue ou des rognons (rares en Allemagne). La viande et les légumes proviennent d'une ferme bio de la région voisine du Mecklembourg, le fromage et la charcuterie viennent d'Espagne. Le steak argentin est recommandé accompagné d'un bon verre de vin (grand choix).
Bänschstrasse 41, 10247
42 02 49 43 • www.
vineriaytapas.de • tlj à
partir de 15h Ⓤ5 Frankfurter
Allee ou Samariterstrasse

AUTOUR D'UN VERRE...

15. **16.**

14. SCHÖNBRUNN

CAFÉ

Au milieu du parc de Friedrichshain, le café Schönbrunn est une institution. Rien de tel que de profiter de la terrasse au bord de l'étang pendant la belle saison. Le week-end, beaucoup de familles bobo de Prenzlauer Berg viennent ici pour manger une part de tarte avec leurs beaux-parents.

····⟩ *Le Schönbrunn fait aussi restaurant (seulement le week-end durant l'hiver).*

Volkspark Friedrichshain • 453 05 65 25 www.schoenbrunn.net • tlj 10h-minuit (mars-sept) • Tram M4, M10 • Bus 200

16. PLACE CLICHY

BAR

Ce petit bar de Simon-Dach-Strasse est un refuge pour tous les nostalgiques de Pigalle. Avec ses ballons de rouge, son zinc, ses chansons françaises (actuelles !) et ses petites tables dans l'arrière-salle, on ne fait pas plus parisien à Berlin. Ça bouge à partir de 22h dans une ambiance toujours à la fête.

Simon-Dach-Strasse 22, 10245 • 23 13 87 03 • mar-sam 19h-2h • Ⓤ1 ou Ⓢ-Bahn Warschauer Strasse • Tram M10

15. DIE TAGUNG

BAR RDA

Die Tagung (le congrès) pourrait être un musée de la RDA. Avec ses pancartes "Attention frontière !", "Interdiction de se baigner", on a l'impression de faire un bond dans le passé, à l'époque où la ville était divisée en deux. Lénine, Engel, Marx et les autres figures du communisme ont tous leur portrait dans ce café décalé. Il faut quelques minutes pour se mettre dans l'ambiance.

Wühlischstrasse 29, 10245 • 29 77 37 88 tlj à partir de 19h • Ⓤ1 ou Ⓢ-Bahn Warschauer Strasse • Tram M10

17. TUSSYLOUNGE

CAFÉ-COIFFURE

Moitié café, moitié salon de coiffure, le Tussylounge (qu'on pourrait traduire par "café de greluches") est décoré de meubles et de lampes années 1960. Il est situé dans un endroit calme, loin de la foule de Simon-Dach-Strasse. Large choix de cocktails (60 variétés) entre 6 et 8 €, mais aussi milk-shakes, tartes et limonades maison.

Sonntagstrasse 22, 10245 • 84 11 17 95 www.tussylounge.de • lun-sam 15h-1h Ⓤ1 ou Ⓢ-Bahn Warschauer Strasse, ou Ⓢ-Bahn Ostkreuz

18. CASSIOPEIA

BIERGARTEN

Installé dans un centre culturel trash et alternatif ayant investi une gare abandonnée, ce café-bar-club est le rendez-vous de tous ceux qui fuient le Friedrichshain tendance et touristique de Simon-Dach-Strasse. Il y a beaucoup d'espace et l'ambiance est bon enfant.

Revaler Strasse 99, 10245 • 47 38 59 49
www.cassiopeia-berlin.de
U1 ou S-Bahn Warschauer Strasse
Tram M10

20. YAAM

BAR DE PLAGE

C'est tous les jours reggae sur ce bout de plage derrière l'East Side Gallery. Le Yaam, c'est le mélange des cultures autour d'un verre. On peut jouer au basket ou au foot sur fond de raggamuffin ou assister à des concerts ou à des sound systems le soir. Dès qu'il fait soleil, c'est plein. Le Yaam, c'est vraiment Berlin !

Stralauer Platz 35, 10243 • 615 13 54
www.yaam.de • tlj 11h-minuit (plus tard l'été) • S-Bahn Ostbahnhof

19. SANATORIUM[23]

ÉLECTRO-LOUNGE

Les serveuses sont habillées en infirmière ou en latex. Ça dépend des jours. Le Sanatorium est un mélange de café de quartier, de galerie d'art et de club. Le week-end, les DJ viennent mettre l'ambiance. Sur la carte des boissons, on choisit son "traitement" parmi les mystérieuses formules chimiques.

Frankfurter Allee 23, 10247 • 42 02 11 93
www.sanatorium23.de • tlj à partir de 17h
U5 Frankfurter Tor • Tram M10

21. SIBYLLE

CAFÉ CULTUREL

Connu sous la RDA, depuis les années 1960, le Sibylle a survécu à la réunification. Installé au pied d'un immeuble de marbre, ce café est une institution de Berlin-Est. À la fois lieu d'exposition et de concerts, c'est aussi un musée sur l'histoire de la Karl-Marx-Allee. La déco sobre et fonctionnelle héritée des années 1960 lui donne un charme désuet.

Karl-Marx-Allee 72, 10243 • 29 35 22 03
lun-ven 10h-20h, sam-dim 11h-20h (plus tard en cas de concert) • U5 Weberwiese ou Strausberger Platz

22. ALTES TEXTILKAUFHAUS

MODE – CRÉATEURS

On se croirait dans un grand salon avec des vêtements éparpillés un peu partout. Les gants sont sur la table du milieu, les colliers à droite dans une vitrine, les habits pour enfants à gauche et les vêtements au fond sur des cintres. Altes Textilkaufhaus est une coopérative de créateurs qui proposent leurs collections et se relaient comme vendeurs. Une boutique authentique.

···⟩ ***Les photos dans le magasin sont interdites.***

Boxhagener Strasse 93, 10245 • 29 03 85 68 • www.altestextilkaufhaus.de
lun-ven 11h-19h, sam 11h-16h • Ⓤ1 ou Ⓢ-Bahn Warschauer Strasse • Tram M10

23. WÜHLISCHSTRASSE

MODE

Pour tous ceux qui recherchent des boutiques de mode et de créateurs, cette rue mérite le détour. Les bonnes adresses se trouvent entre Simon-Dach-Strasse et Boxhagener Strasse. Wühlischstrasse est bien partie pour devenir la rue la plus tendance du quartier.

Ⓤ1 ou Ⓢ-Bahn Warschauer Strasse, ou Ⓢ-Bahn Ostkreuz

24. PECCATO FASHION STORE

MODE

Situé au cœur du quartier mode et des cafés, Peccato propose des vêtements femme, des accessoires (sacs, colliers, collants...) et de la lingerie à des prix abordables, dans une ambiance et un décor de salon privé.

Simplonstrasse 6, 10245 • 20 07 88 96 www.peccato.de • lun-ven 12h-20h, sam 11h-18h30 • Ⓤ1 ou Ⓢ-Bahn Warschauer Strasse • Tram M10

25. KAUFBAR

CAFÉ-BROCANTE

On peut tout acheter dans ce café-brocante : la tasse dans laquelle on boit son thé, la chaise sur laquelle on est assis où encore le livre qui traîne sur la commode. Il suffit de demander le prix à la personne qui vous sert. Du Berlin tout craché.

Gärtnerstrasse 4, 10245 • 29 77 88 25
tlj 10h-minuit (mar, mer à partir de 15h)
www.kaufbar-berlin.de
Ⓤ1 ou Ⓢ-Bahn Warschauer Strasse • Tram M10

26. INTERSHOP 2000

RELIQUES DE LA RDA

À l'époque, Intershop était une chaîne de magasins publique de l'ex-RDA, où l'on pouvait acheter des produits avec des devises de l'Ouest. Aujourd'hui, Intershop 2000 est un magasin privé, installé dans un ancien "Konsum" (superette de la RDA), où l'on peut retrouver les articles est-allemands qui ont survécu à la réunification : bustes de Lénine, allumettes, affiches, fanions des jeunesses communistes ou vaisselle de la société de chemin de fer Mitropa.

⤳ *La boutique change souvent d'adresse ! Vérifiez sur le site Internet qu'elle n'ait pas bougé. L'adresse est courue par les collectionneurs et les musées.*

Danneckerstrasse 8, 10245 • 31 80 03 64
www.intershop2000.com
mer-ven 14h-18h, sam et dim 12h-18h
Ⓤ1 ou Ⓢ-Bahn Warschauer Strasse
Tram M10

27. STOFFRAUSCH

MODE STREETWEAR/TECHNO

De l'extérieur, on aurait tendance à être rebuté par le HLM de l'ex-RDA, au pied duquel est installée cette boutique. À l'intérieur, c'est un autre monde ! Celui d'une marque berlinoise pleine d'idées (notamment en mode techno) et de pièces uniques. On se sent tout de suite à l'aise.

⤳ *Un atelier de retouches se trouve dans l'arrière-boutique. On peut donc faire reprendre un vêtement immédiatement.*

Bersarinplatz 3, 10249 • 29 66 51 51
www.stoffrausch.com
lun-ven 10h-20h, sam 12h-18h
Ⓤ5 Frankfurter Tor
Tram M10

SORTIR

Finir la soirée à 9h du matin ? Ce n'est pas exceptionnel à Berlin. La capitale n'a pas d'heure légale de fermeture. Les cafés peuvent rester ouverts 24h/24. Quand on sort en boîte, on ne se donne pas rendez-vous avant minuit. Pour vous en rendre compte, il faut prendre le tram M10 entre Friedrichshain et Prenzlauer Berg. Surnommé le "tram de la fête" (party Tram), il n'est en effet rempli que de fêtards à cette heure-là ! La vie nocturne bat son plein à partir de 1h du matin. On peut se défouler dans les anciennes usines reconverties en boîtes techno (du samedi au lundi matin non-stop), danser la salsa sur du parquet en chêne, écouter du punk dans une cave de Kreuzberg ou fréquenter des clubs illégaux dans quelque arrière-cour de Friedrichshain. Sur www.clubmatcher.de (en anglais), vous pourrez trouver le club qui vous convient en donnant vos critères de sélection. Autre avantage : les videurs sont rarement sélectifs (mais ils sont malheureusement de plus en plus nombreux et pas toujours commodes). On peut se rendre partout sans se préoccuper de la manière dont on est habillé. Contrairement à d'autres capitales, le prix des entrées reste abordable et surtout les prix des boissons sont pratiquement au niveau de ceux pratiqués dans la gastronomie. Si vous payez une pinte plus de 4 €, c'est que vous êtes tombé dans un piège à touristes ! Les prix des entrées (de 5 et 12 €) permettent aux Berlinois de faire plusieurs adresses dans la même soirée. La vie nocturne a la bougeotte. Les lieux tendance deviennent vite ringards et les clubs n'hésitent pas à déménager d'endroit pour remplir de nouveaux espaces libres encore plus délirants. À Berlin, ce n'est pas la place qui manque !

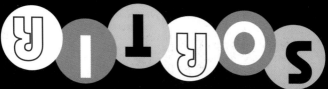

SORTIR

............Bars de nuit.............

01 INTERSOUP

VERY CHEAP

Repérez le petit escalier à côté de la porte d'entrée. C'est par là qu'on descend pour les soirées (parfois avec concerts) de l'Intersoup. Un DJ vient mixer pratiquement tous les soirs pour un public plutôt trentenaire et alternatif, dans une ambiance de joyeux bazar. Idéal pour passer une soirée sympathique dans une ambiance festive.

Schliemannstrasse 31, 10437
Prenzlauer Berg (carte p. 42)
www.jerlin.de/intersoup
tlj à partir de 17h
entrée souvent gratuite, jamais plus de 5 €
Ⓤ2 Eberswalder Strasse
Tram 12, M1, M10

02 AUGUST FENGLER

Le bar – grand classique du quartier – est toujours plein et reste ouvert jusqu'à très tard dans la nuit. Il est souvent difficile d'atteindre le comptoir pour commander. La (très petite) piste de danse, avec DJ, se trouve dans l'arrière-salle. En sous-sol, on rejoint les amateurs de baby-foot pour une partie qui peut durer jusqu'au petit jour.

Lychener Strasse 11, 10437 • Prenzlauer
Berg (carte p. 42) • www.augustfengler.
com • tlj à partir de 19h • entrée libre
Ⓤ2 Eberswalder Strasse
Tram M1, M10, 12 • Bus de nuit N2

03 KING SIZE BAR

Logé au pied de l'un des derniers immeubles de la rue à ne pas avoir été encore rénové, le King Size est "*the place to be*" de Mitte. C'est tout petit et il est très difficile d'y entrer. Mais avec un peu de chance on peut trouver une place autour du grand comptoir. Public très tendance. Très bruyant à partir de minuit. Parfois, on y danse jusqu'à perdre la tête.

Friedrichstrasse 112b, 10117
Mitte – Hackescher Markt (carte p. 76)
www.kingsizebar.de
mer-sam 21h-7h
entrée libre (avec portier)
Ⓤ6 Oranienbruger Tor • Tram M1, 12, M6

04 KAFFEE BURGER

VERY CHEAP

Tous les Berlinois sont déjà venus danser au moins une fois au Burger. Son fondateur, l'écrivain Vladimir Kaminer, est connu comme le loup blanc dans la capitale. Ses soirées "disco russe" sont légendaires. Après les concerts, le bar se transforme en club. Le décor très "ostalgique" est toujours le même depuis 20 ans. Sa notoriété lui attire de nombreux touristes.

Torstrasse 60, 10119 • Mitte – Hackescher
Markt (carte p. 76) • 28 04 64 95
www.kaffeeburger.de • bar tlj à partir de
21h, pour danser lun-jeu à partir de 22h,
ven-sam 21h, dim 19h • entrée 3-6 €
Ⓤ2 Rosa-Luxemburg Platz • Tram M1, M8

05 TRUST

La porte d'entrée, toute noire, n'est pas très encourageante. Mais il faut avoir... confiance ! À l'intérieur, c'est la fête ! Ce nouveau bar de Torstrasse est l'un des lieux branchés du moment. Ici, on ne commande pas de bière à l'unité mais des bouteilles à partager entre amis.

Torstrasse 72, 10119
Mitte – Hackescher Markt (carte p. 76)
mar-sam à partir de 20h • **entrée libre (avec portier)**
Ⓤ2 Rosa-Luxemburg-Platz

06 NEUE ODESSA

Le Neue Odessa est un lieu de rencontre pour les gens de la mode et de l'art. Les soirées peuvent être parfois très animées. Les boissons sont abordables et l'ambiance du grand salon donne presque l'impression d'être chez soi. Un endroit idéal pour finir la nuit.

Torstrasse 89, 10119 • Mitte – Hackescher Markt **(carte p. 76)** • 01 71 83 98 991
tlj à partir de 19h • **entrée libre (avec portier)**
Ⓤ2 Rosenthaler Platz • Tram M1, M8

07 BAR AM LÜTZOWPLATZ

Ce bar américain aux allures de wagon avec son bar tout en longueur a gardé un certain charme malgré son look des années 1990 ! Les cocktails sont toujours excellents. Voir les détails p. 121.

Lützowplatz 7, 10785 • Tiergarten **(carte p. 110)** • 262 68 07
www.baramluetzowplatz.com • lun-mer et dim 18h-2h, jeu-sam 18h-4h • **entrée libre**
Ⓤ1 Kurfürstenstrasse • Bus de nuit N1, N2

Transports de nuit

Dernier métro : 0h30. Les métros (Ⓤ) circulent toute la nuit les vendredi et samedi, tous les quarts d'heure (sauf Ⓤ4 et Ⓤ55). De même que les Ⓢ-Bahn, qui circulent toutes les demi-heures.

Bus de nuit : ils sont nombreux et marqués d'un N. Le numéro qui suit est celui de la ligne de métro correspondante.

Taxi : prise en charge 3,20 €, 1,65 € le km, puis 1,28 € à partir de 7 km. Pourboire 10%. Quelques numéros de compagnies de taxi : 20 20 20 (Taxi Berlin) ; 44 33 22 (Taxi Funk Berlin) ; 26 3000 (Quality Taxi) ; 21 01 01 (Würfelfunk) ; 21 02 02 (Cityfunk Berlin) ; 26 10 26 (WBT).

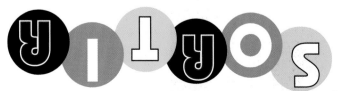

Clubs

08 GRA-TUIT

MAUERSEGLER CLUB

Un endroit tranquille dans le Mauerpark pour passer une soirée à danser sur toutes sortes de musiques (hip-hop, électro, rock...). Ambiance bon enfant. Public de tout âge. Idéal l'été avec le *biergarten* (voir p. 58).

Bernauerstrasse 63/64, 13355
Prenzlauer Berg (carte p. 42)
97 88 09 04 • www.mauersegler-berlin.de
tlj 10h-2h (biergarten ouvert seulement mai-oct) • **entrée gratuite**
Ⓤ2 Eberswalder Strasse
Tram M1, 12, M10

09 ZUR WILDEN RENATE

C'est l'une des adresses les plus courues de la capitale allemande. L'ambiance ? Imaginez un immeuble berlinois rien de plus classique qui aurait été transformé en auberge espagnole sur fond de musique techno. On trouve refuge dans les nombreuses pièces dans les étages. Un *biergarten* est ouvert quand il fait beau.

Alt-Stralau 70, 10245
Friedrichshain (carte p. 170)
25 04 14 26 • www.renate.cc
jeu-sam à partir de minuit
Ⓢ-Bahn Treptower Park • Bus 104, 347

10 BASSY CLUB

Situé sous l'ancienne brasserie du Pfefferberg (voir p. 54), le Bassy ressemble à un saloon avec un grand bar. Le style de musique, plutôt sixties, country, R&B et garage, attire un public entre 30 et 50 ans. Des concerts sont souvent programmés avant la soirée, vers 23h.

Schönhauser Allee 176a, 10119
Prenzlauer Berg (carte p. 42)
374 48 020 • www.bassy-club.de
tlj sauf mardi à partir de 21h, concerts à 23h
entrée 8-10 € (avec concert), lundi 6 €
Ⓤ2 Rosa-Luxemburg-Platz

11 KULTURBRAUEREI

Cet immense centre culturel de Prenzlauer Berg (voir p. 45) rassemble plusieurs clubs, notamment l'Alte Kantine, pour ceux qui aiment les clubs à taille humaine et les tubes, et le Soda Club, en face, pour les fans de salsa.

Schönhauser Allee 36, 10435
Prenzlauer Berg (carte p. 42)
443526-0 • www.kulturbrauerei.de • 24h/24
(Alte Kantine : tlj à partir de 23h,
entrée 3-9 € • Soda Club :
à partir de 20h. **Entrée 5 € avec ou sans cours de salsa**
Ⓤ2 Eberswalder Strasse

12 KATER HOLZIG

Ses murs tagués rappellent le défunt centre culturel Tacheles. Le Kater Holzig, c'est du Berlin tout craché aux abords d'un centre devenu trop chic et très rénové. Le public est international et très tendance (musique : house, dance, techno). Successeur du légendaire Bar 25, le "Kater" (qui signifie "matou" mais aussi "gueule de bois") n'a obtenu une autorisation d'ouverture que jusqu'en 2013 sans garantie de prolongation.

Michaelkirchstr. 23, 10179
Kreuzberg (carte p. 154) • 51052134
www.katerholzig.de • jeu-lun à partir de 23h
Ⓤ8 Heinrich-Heine-Strasse

13 WEEK-END

On y va pour danser au 12e étage de l'ancienne agence de tourisme est-allemande (Haus des Reisens ; voir p.73) sur des sets électro, house, techno ou minimal. La vue panoramique à 360 degrés depuis la terrasse est imprenable sur tout Berlin. L'été, on apprécie le lever de soleil sur la ville vers 3-4h du matin. Prévoir une attente de 30 à 45 minutes pour entrer.

Alexanderstrasse 7, 10178
Alexander Platz **(carte p. 66)**
www.week-end-berlin.de
jeu-dim à partir de 23h
entrée 6-15 €
Ⓤ ou Ⓢ-Bahn Alexander Platz

14 GRÜNER SALON

Le Grüner Salon, situé dans une aile du théâtre Volksbühne, est l'endroit parfait pour danser sans se faire bousculer. Dans la semaine, on y donne des cours de salsa. Le week-end, les élèves viennent parfaire leurs techniques sur le parquet en chêne de cette grande salle de bal, à la programmation musicale variée (salsa bien sûr, mais aussi autres musiques – world, rock, charleston, variété) et toujours de qualité.

Rosa-Luxemburg-Platz 2, 10178
Mitte – Hackescher Markt **(carte p. 76)**
688 33 23 90 • www.gruener-salon.de
heures d'ouverture en fonction des soirées • **entrée variable**
(mais toujours raisonnable)
Ⓤ2 Rosa-Luxemburg-Platz

15 RITTER BUTZKE

Caché dans une arrière-cour de la Moritzplatz (il faut vraiment chercher!), le Ritter Butzke fut un temps l'un des clubs undergrounds les plus en vue de la capitale. Mais depuis que sa situation a été régularisée, les Berlinois le fuient. C'est l'un des rendez-vous les plus courus par les touristes! Ambiance de discothèque : salle bondée et musique extrêmement forte. Point d'orgue de la soirée vers 3 heures du matin. Musique : techno, minimal, électro.

Ritterstrasse 26, 10969
Kreuzberg (carte p. 154)
322 97 01 07 • www.ritterbutzke.de
ven à partir de minuit, sam à partir de 23h
parfois mer et jeudi • **entrée 10-12 €**
Ⓤ8 Moritzplatz

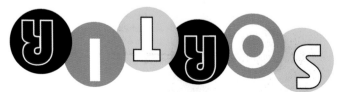

16 TAUSEND BAR

GRATUIT VERY CHIC

On frappe à la porte. Un videur vous scrute alors par un judas. Si vous avez le droit d'entrer (ce qui n'est pas du tout évident), vous serez surpris par cet endroit sélect comparable aux grands bars VIP de Paris, Londres ou Tokyo. Unique à Berlin ! Décor métallique, jeux de lumières, grands miroirs... l'atmosphère est ultratendance. Vous croiserez ici mannequins, comédiens et toutes sortes de people du moment. Si vous n'êtes pas de la sphère célébrité, évitez le jean-T-shirt, au risque de réduire dangereusement vos chances d'entrer !

Schiffbauerdamm 11, 10117
Mitte – Hackescher Markt (carte p. 76)
41 71 53 96 • www.tausendberlin.com
mer-sam à partir de 20h
entrée gratuite (mais pas facile !)
Ⓤ6 ou Ⓢ-Bahn Friedrichstrasse

17 BALLHAUS MITTE

VERY CHEAP

Dans cette superbe salle de bal des années 1920, tous les vendredi et samedi soir, DJ Clärchen nous invite à danser dans une ambiance bon enfant sur des tubes des années 1980 et 1990, à l'occasion de son Clärchens Balhaus. Public de tout âge. Très sympathique. Voir les détails p. 84.

Auguststrasse 24, 10117
Mitte – Hackescher Markt **(carte p. 76)**
282 92 95 • www.ballhaus.de
ven-sam 20h, à partir de 22h
pour danser • **entrée 5 €**
Ⓢ-Bahn Oranienburgerstrasse
Tram M1

18 COOKIES

Malgré 7 déménagements en 17 ans, le Cookies, avec ses grands lustres, a réussi à garder sa réputation de club sélect. Les soirées (house, principalement) n'ont lieu qu'en semaine, le mardi et le jeudi.

Unter den Linden 158-164, 10117
Mitte – Unter den Linden (carte p. 94)
27 49 29 40 • www.cookies-club.de
mar et jeu 22h30-6h
prix entrée variable
Ⓢ-Bahn Friedrichstrasse

19 HAVANNA

Dans une arrière-cour de Schöneberg, le Havanna est l'endroit parfait pour passer une soirée latino (salsa, merengue), black (soul, funk) ou disco. Avec 4 pistes de danse et 7 bars, le Havanna peut accueillir jusqu'à 2 500 personnes. On n'est pas trop serré pour danser et... pour faire connaissance. Public très éclectique.

┈┈┊ **On peut prendre un cours de danse une heure avant l'ouverture (5 €, débutant ou confirmé).**

Hauptstrassee 30, 10827 • **Schöneberg (carte p. 142)** • 784 85 65 • www.havanna-berlin.de • mer 21h, ven-sam 22h
entrée 7 € (gratuit jusqu'à 23h pour les filles) • Bus de nuit N7

20 TRESOR

C'est le premier grand club techno allemand, ouvert en 1991 lorsque la musique électro n'était pas encore popularisée. En 2005, le Tresor a dû quitter son lieu historique, une ancienne chambre forte d'un centre commercial de Leipziger Strasse. Installé depuis 2007 dans une ancienne centrale de chauffage de Kreuzberg, après plusieurs déménagements, le nouveau Tresor a gardé son atmosphère d'usine abandonnée avec notamment un grand couloir de 30 mètres menant aux dancefloors (techno et électro, house).

Köpenicker Strasse 70, 10179 • **Kreuzberg (carte p. 154)** • www.tresorberlin.de mer, ven-sam à partir de minuit
entrée très variable
Ⓤ8 Heinrich-Heine-Strasse

21 KITKATCLUB

Ce club techno-échangiste fait partie des pionniers de la vague électro des années 1990. Le KitKatClub est plus qu'un simple club d'échangisme. C'est une institution accueillant de très bons DJ. Après plusieurs déménagements, le club a trouvé refuge au légendaire Sage Club, à la limite entre Kreuzberg et Alexander Platz, juste à côté du club techno du Tresor. Aucune tenue n'est vraiment exigée (sauf le samedi : extravagant). Mais pas de jean/T-shirt ! Plutôt sexy et surtout fantaisiste !

Köpenickerstrasse 76, 10179
Kreuzberg **(carte p. 154)**
www.kitkatclub.org
ven-sam-dim à partir de 23h
entrée 10 € • Ⓤ8 Heirich-Heine-Strasse
Bus de nuit N8, N40

22 PRIVATCLUB · VERY CHEAP

Pour danser dans une ambiance bon enfant, rien de mieux que le Privatclub. Il est logé dans d'anciennes caves sous le restaurant Weltrestaurant Markthalle (voir p. 161). Le style de musique est très variable, de la funk à l'électro en passant par le hip-hop et les sixties, en fonction du public. Dans les toilettes, on entend chanter les oiseaux à travers des enceintes ! Le club donne aussi 3 à 10 concerts par mois.

Pücklerstrasse 34, 10997 • **Kreuzberg (carte p. 154)** • 0179 787 35 54
www.privatclub-berlin.de • ven-sam 23h30
entrée 3-5 € • Ⓤ1 Görlitzer Bahnhof

23 CLUB DER VISIONÄRE · GRATUIT

Dans une ambiance exotique au bord du canal, les "visionnaires" dansent après le coucher du soleil sur de la musique électro (house, techno, minimale). Pas d'habitations aux environs : on peut donc parler haut et fort ! Ce club "éphémère" n'est ouvert que l'été. Voir aussi p. 165.

Am Flutgraben 1, 12435
Kreuzberg (carte p. 154) • 69 51 89 42
www.clubdervisionaere.com
lun-jeu à partir de 14h, sam-dim à partir de 12h (ouvert 1ᵉʳ mai-sept)
entrée gratuite • Ⓤ1 Schlesisches Tor

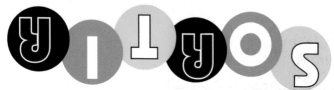

SORTIR

24 SO 36

Ce club légendaire de Kreuzberg n'est plus seulement réservé aux punks. Des soirées de tous les styles sont programmées, de l'électro au hardcore, en passant par le hip-hop, le disco et le reggae, pour un public très éclectique. Soirées gays et lesbiennes.

Oranienstrasse 190, 10999
Kreuzberg (carte p. 154)
61 40 13 06 • www.so36.de
horaires variables selon les soirées
**entrée 3-6 € • Ⓤ1, Ⓤ8 Kottbusser Tor
ou Ⓤ1 Görlitzer Bahnhof**

25 WATERGATE

VERY CHIC

Avec une vue imprenable sur la rivière et l'Oberbaumbrücke (voir p. 172), le Watergate est l'une des adresses les plus spectaculaires de la capitale. À l'intérieur, dans un décor dépouillé, presque froid, on regarde le métro passer sur le pont en sirotant un cocktail ou on se déhanche sur la piste à l'étage. L'entrée n'est pas facile à repérer (signalée par une lampe bleue). Très longue file d'attente vers 3 heures !

Falckensteinstrasse 49 A, 10997
Kreuzberg (carte p. 154)
61 28 03 94 • www.water-gate.de
ven-sam à partir de 23h45
entrée 10-12 € • Ⓤ1 Schlesisches Tor

26 BERGHAIN

Le Berghain est considéré comme l'un des meilleurs clubs techno du monde. Les dimensions de ce club, installé dans une centrale électrique abandonnée, avec une hauteur sous plafond de 18 mètres de hauteur et trois étages pouvant accueillir jusqu'à 2 300 personnes, sont impressionnantes. Il faut parfois faire la queue pendant plus d'une heure pour entrer. Les soirées durent jusqu'à midi et se terminent généralement au Panorama Bar (dernier étage). Beaucoup d'ambiance à partir de 5 heures.

⋯▸ Il est interdit de faire des photos.

Am Wriezener Bahnhof, 10243
Friedrichshain (carte p. 170)
29 36 02 10 • www.berghain.de
jeu 23h, ven-sam minuit
**entrée 10 € • Ⓢ-Bahn Ostbahnhof
Bus de nuit N40**

27 SUICIDE CIRCUS

Le club qui "monte" à Berlin. Le Suicide Circus mise sur la qualité de la musique et de ses DJ, jeunes et talentueux, promis pour certains à une carrière internationale. Le club est situé juste à côté de la gare Warschauer Strasse, au cœur de la vie nocturne de Friedrichshain.

Revaler Strasse 99, 10245
(entrée par le pont Warschauer Brücke)
Friedrichshain (carte p. 170)
www.suicide-berlin.com
mer-sam à partir de minuit
(parfois plus tôt si projection de film)
entrée 5-8 € • Bus de nuit N1, N40

......Concerts pop, rock, jazz......

28 WHITE TRASH FOOD

En plus de son restaurant qui a la réputation d'avoir les meilleurs hamburgers de la ville (voir p. 53), le White Trash propose une multitude de concerts rock, punk, électro, jazz, swing ou country. Public éclectique entre 25 et 50 ans. Ambiance différente chaque jour.

Schönhauser Allee 6-7
Prenzlauer Berg **(carte p. 42)**
50 34 86 68 • www.whitetrashfastfood.com • club tlj à partir de 21h
entrée environ 6 €
Ⓤ2 Rosa-Luxembourg-Platz

29 FRANNZ

L'endroit se repère à la tour en brique rouge de la Kulturbrauerei. Le Frannz propose un programme de concerts pop, rock et de musiques alternatives. La programmation (principalement tournée vers les musiques du monde) des deux autres salles de la Kulturbrauerei, la Kesselhaus et la Maschinenhaus, mérite aussi l'attention.

Schönhauser Allee 36, 10435 (dans la Kulturbrauerei) • **Prenzlauer Berg (carte p. 42)** • 726 279 30 • www.frannz.de
concerts 20h-21h • **entrée variable selon les artistes** • Ⓤ2 Eberswalder Strasse

30 KUNSTFABRIK SCHLOT

Un club de référence en matière de jazz en Allemagne. Créé en 1990 dans le Prenzlauer Berg abandonné de l'après-chute du Mur, le Kunstfabrik Schlot a ensuite déménagé à Mitte, dans les caves d'une ancienne usine en brique rouge. L'ambiance est celle d'un vrai club de jazz : on écoute attentivement !

Chausseestrasse 18, 10115
Mitte – Hackescher Markt **(carte p. 76)**
448 21 60 • www.kunstfabrik-schlot.de
tlj 20h, concerts 21h, mar improvisations théâtrales • **entrée 8-10 € (sauf concert exceptionnel), parfois gratuit !**
Ⓤ6 Naturkundenmuseum
Ⓢ-Bahn Nordbahnhof • Tram 12, M8

31 QUASIMODO

Un club de jazz légendaire dans la capitale. Les concerts se déroulent dans une cave (voir les détails p. 134).

Kantstrasse 12a, 10623
Charlottenburg (carte p. 126)
318 045 60 • www.quasimodo.de
billetterie lun-ven à partir de 15h30
sam-dim à partir de 13h
(achat des billets au café du Quasimodo)
entrée variable selon les artistes
Ⓤ2 ou Ⓢ-Bahn Zoologischer Garten

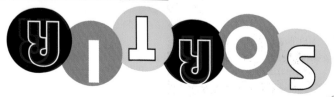

SORTIR

32 A-TRANE

Un petit club de jazz idéal pour finir la soirée (voir les détails p. 135).

Pestalozzistrasse 105, 10625
Charlottenburg (carte p. 126)
313 25 50 • www.a-trane.de • tlj 21h-2h
**entrée 5-30 € selon les artistes
(en général 8 €)** • **S**-Bahn Savignyplatz

34 YORCKSCHLÖS-SCHEN

Cet ancien bistrot de quartier reconverti en café-concert est connu depuis les années 1970 pour ses live. On y joue du blues, du swing, du jazz de La Nouvelle-Orléans, de la soul et même du Dixieland dans une très bonne ambiance. Toutes les générations et toutes les classes sociales se mélangent ici pour partager un moment de musique. On apprécie particulièrement le petit-déjeuner du dimanche (à 10h), suivi d'un concert à 14h.

⋯⟫ Il est interdit de faire des photos.

Yorckstrasse 15, 10965 • **Kreuzberg
(carte p. 154)** • 215 80 70 • www.
yorckschloesschen.de • mer et sam 21h
(également jeu et ven 21h l'été)
entrée 4-6 € supp sur la note
U7 Mehringdamm

33 LIDO

Cette salle de concert est l'une des nouvelles adresses de la scène musicale indépendante de Berlin (rock, alternative, punk et électro). Très bonne ambiance dans cet ancien cinéma des années 1960, qui a gardé son charme rétro (parquet, hauts plafonds). Les concerts ont lieu dans l'ancienne salle de cinéma. Dans la cour intérieure, une tente a été dressée pour boire des verres et disputer des parties de baby-foot.

⋯⟫ Le Lido organise aussi des soirées très courues à 6 € l'entrée.

Cuvrystrasse 7, 10997
Kreuzberg **(carte p. 154)**
69 56 68 40 • www.lido-berlin.de
**concerts 10 à 30 € selon les artistes,
soirées 6 €** • **U**1 Schlesisches Tor
Bus de nuit N65, N1

Services de nuit

Police : 110 (urgence) ou +49 (30) 46 64 46 64 (renseignements)
Urgences : 112
Croix rouge : +49 (30) 85005-0
Pharmacie de garde : 0800 228 22 80 (n° national)

...Théâtre, opéra & spectacles...

TROIS OPÉRAS

Avec trois Opéras, les Berlinois ont l'embarras du choix ! L'un se trouve à l'ouest (l'Opéra allemand ou Deutsche Oper) et les deux autres (le Staatsoper – le plus beau – et le Komische Oper – le plus grand) à l'est, sur le boulevard Unter den Linden.

Le Staatsoper est actuellement en rénovation. Il sera hébergé jusqu'en octobre 2014 dans le théâtre Schiller (adresse provisoire ci-dessous).

On peut se procurer facilement des billets à moins de 15 € sur Internet ou directement à la caisse.

35 KOMISCHE OPER

Behrenstrasse 55-57, 10117
Mitte – Unter den Linden (carte p. 94)
47 99 74 00 • www.komische-oper-berlin.de
billetterie lun-sam 9h-20h, dim et jours
fériés 14h-20h • **entrée 10-200 € • visite
guidée 6 €** • Ⓤ6 Französische Strasse

36 DEUTSCHE OPER

Bismarckstrasse 35, 10627
Charlottenburg (carte p. 126)
343 84 343 • www.deutscheoperberlin.de
billetterie lun-ven 8h-18h
entrée 16-650 € • Ⓤ2 Deutsche Oper

37 STAATSOPER, IM SCHILLER THEATER

Bismarckstrasse 110, 10625
Charlottenburg (carte p. 126)
20 35 45 55 • www.staatsoper-berlin.de
billetterie lun-sam 10h-20h,
dim et jours fériés 12h-20h, au théâtre
tlj 12h-19h et 1h avant représentations
entrée 14-260 € • Ⓤ2 Deutsche Oper
ou Ernst-Reuter-Platz

38 SCHAUSPIELHAUS – KONZERTHAUS

Construit initialement pour le théâtre, le Schauspielhaus est aujourd'hui une salle de concerts classiques (Konzerthaus) avec orchestre symphonique (dans la Grosser Saal) et de musique de chambre (dans la Kleiner Saal et la Werner-Otto-Saal).

Gendarmenmarkt, 10117
Mitte – Unter den Linden (carte p. 94)
203 09 21 01 • www.konzerthaus.de
billetterie lun-sam 12h-19h,
dim et jours fériés 12h-16h
(sam visite guidée à 13h, 3 €)
entrée 13-126 €
Ⓤ2, Ⓤ6 Stadtmitte • Bus de nuit N2

SORTIR

39 PHILHARMONIE

Le plus prestigieux des orchestres allemands, dirigé depuis 2002 par le chef d'orchestre britannique Simon Rattle, est la fierté de la capitale (ses concerts font toujours salle comble). Mais d'autres orchestres jouent également à la Philharmonie, à des prix abordables, notamment dans la salle de musique de chambre (Kammermusiksaal).

Herbert-von-Karajan Stasse 1, 10785 Tiergarten (carte p. 110) • 254 88 999 www.berliner-philharmoniker.de billetterie lun-ven 15h-18h, sam-dim 11h-14h • entrée variable selon les orchestres
U2 Potsdamer Platz
S-Bahn Potsdamer Platz

40 BLUE MAN GROUP BLUEMAX THEATER

Fondé en 1988 à New York, le Blue Man Group est une performance artistique de grande envergure. Les percussions sont assourdissantes, les lumières étourdissantes et les spectateurs du premier rang inconditionnellement aspergés de divers liquides. Pas du tout recommandé pour sortir les beaux-parents.

Marlene-Dietrich-Platz 4, 10785 Tiergarten (carte p. 110) • 01 805 44 44 www.bluemangroup.de • achat des billets au théâtre 2h avant la représentation ou sur Internet • représentations mar, ven 21h, mer et jeu 18h et 21h, sam 18h, 21h, dim 18h • entrée 54,90 € ou 64,90 €
U2 ou S-Bahn Potsdamer Platz

41 SCHAUBÜHNE

C'est la Mecque du théâtre contemporain allemand. Rendu célèbre par le metteur en scène et acteur allemand Peter Stein, qui dirigera le Schaubühne de 1970 à 1987, le théâtre a connu un second souffle en 1999 avec l'arrivée de Thomas Ostermeier (toujours à la direction artistique du théâtre) et de la chorégraphe allemande Sasha Waltz.

Kurfürstendamm 153, 10709 Charlottenburg (carte p. 126) 89 00 23 • www.schaubuehne.de billetterie lun-sam 11h-18h30, dim et jours fériés 15h-18h30 (achat des billets possible 1h avant la représentation) entrée 7-43 € • U7 Adenauer Platz, S-Bahn Charlottenburg • Bus M19, M29

42 RADIAL SYSTEM V **VERY CHIC**

Ouvert en 2006, le Radial System V est un lieu de création réputé pour la qualité de sa programmation. Installé dans une ancienne station hydraulique au bord de la Spree, c'est un lieu de rencontres artistiques interdisciplinaires qui mélange tradition et innovation. C'est surtout une référence en matière de musique (moderne et classique) et de danse contemporaine, avec la présence de la célèbre chorégraphe Sasha Waltz. De la pure culture !

Holzmarktstrasse 33, 10243 • Friedrichshain (carte p. 170) • www.radialsystem.de 288 788 50 • réservations 288 788 588 billetterie mar-ven 10h-19h, sam 12h-19h, café tlj 10h-19h (superbe terrasse) entrée 5-34 €
S-Bahn Ostbahnhof

DORMIR

Partir à Berlin, c'est l'assurance de ne pas tout dépenser dans l'hébergement. Même si les prix ont augmenté ces dernières années, un lit berlinois reste étonnamment abordable en comparaison de ses homologues européens. Avec un soupçon de folie en plus ! Style RDA, design, rétro : les établissements jouent en général la carte de l'originalité, en fonction du quartier aussi. Et tout cela quelle que soit la catégorie, car, ici, une belle déco à prix abordable, c'est possible. Les prix augmentent néanmoins pendant le Salon de l'agriculture (Grüne Woche, fin janvier) et du tourisme (ITB, mi-mars), et les places deviennent rares. Autre point fort : au sein d'un même hôtel, la possibilité d'avoir ou non une salle de bains, d'opter pour un petit-déjeuner inclus ou non, bref, de choisir son confort à la carte, en fonction aussi de son budget. Même les auberges de jeunesse, parfois très bien situées, offrent une gamme de services différenciés, bien appréciable, à ajuster selon ses moyens. Les pensions, installées dans de vieux immeubles, ont leurs amateurs parmi les voyageurs et restent une spécificité berlinoise. C'est souvent l'occasion de découvrir les intérieurs berlinois, souvent vastes et hauts de plafond, très caractéristiques de la ville. Si vous préférez garder votre indépendance, optez pour la location d'appartement. Un très bon plan d'un point de vue économique, qui rappelle aussi que les prix de l'immobilier demeurent bas dans la capitale allemande. Quelques sites : www.only-apartments.fr, www.ferienwohnung-zimmer-berlin.de, www.ferienwohnung-24-berlin.com. La plateforme de location entre particuliers Airbnb (www.airbnb.fr) fourmille également d'offres d'appartements et de chambres chez l'habitant.

• • • • • • • HÔTELS • • • • • • • •

MYER'S

Metzer Strasse 26, 10405
Prenzlauer Berg
+49 (30) 44 01 40
www.precisehotels.com
simple 65-165 €
double 75-195 €
petit-déjeuner compris
Ⓤ2 Senefelderplatz

Le Myer's est un hôtel calme et classique, au mélange de styles anglais et italien, avec un joli jardin fleuri en été. Les responsables attachent une grande importance à l'ambiance et organisent parfois des expositions temporaires. Les chambres sont aménagées dans un style très traditionnel. L'hôtel est situé dans une rue tranquille à l'abri de l'agitation – Prenzlauer Berg et Mitte sont facilement accessibles à pied.

EASYHOTEL

Rosenthaler Strasse 69,
10119
Mitte
+49 (30) 40 00 65 50
www.easyhotel.com/
ch à partir de 25 €
(pas de service de petit-déjeuner)
Ⓤ8 Rosenthaler Platz
Ⓢ-Bahn Hackescher Markt

On ne trouvera pas moins cher dans le quartier. Le premier easyhotel d'Allemagne, qui est une franchise de la compagnie aérienne *low cost*, fonctionne sur le même principe que l'avion. Plus tôt on réserve, moins c'est cher ! L'hôtel, construit en 2010, propose des chambres propres mais très petites. Idéal pour ceux qui ne viennent à l'hôtel que pour dormir. Les restaurants, les cafés et les clubs sont tout autour !

···⟩ *Réservations uniquement par Internet.*

CIRCUS

Weinbergsweg 1a, 10119
Mitte
+49 (30) 20 00 39 39
www.circus-berlin.de/circus_hotel_
berlin.html
simple 70-105 €
double 80-120 €
app 2-3 pièces 110-160 €
petit-déjeuner 4-8 €
Ⓤ8 Rosenthaler Platz • Tram M1

Situé en face de l'auberge de jeunesse du même nom, le Circus est l'un des hôtels les plus récents du quartier. Au rez-de-chaussée, le café ouvert aux passants donne une ambiance animée à l'hôtel. Certaines personnalités des médias habitant dans le quartier viennent y prendre le petit-déjeuner pour leur revue de presse. Le Circus se considère comme un hôtel écologiste et porte une grande attention au développement durable.

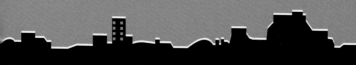

Vous pouvez aussi réserver votre hébergement sur www.cheapandchic-lesguides.fr

ALBRECHTSHOF

Albrechtstrasse 8, 10117
Mitte
+49 (30) 308 86 0
www.hotel-albrechtshof.de
**simple week-end/sem à partir
de 91/124 €**
double à partir de 111/156 €
petit-déjeuner compris
Ⓤ6 ou Ⓢ-Bahn Friedrichstrasse

On ne peut pas être mieux situé ! Cet hôtel se trouve dans un coin très tranquille du centre, à deux pas de la Spree, du Reichstag et de la gare de Friedrichstrasse. On peut se rendre à pied pratiquement partout et l'on trouve une flopée de restaurants et de cafés dans la rue. L'hôtel existe depuis plus d'un siècle. Au temps de la RDA, il était le point de rencontre des familles divisées par la guerre froide. Son visiteur le plus connu fut le militant des droits civiques Martin Luther King.

ARTE LUISE

Luisenstrasse 19, 10117
Mitte
+49 (30) 28 44 80
www.luise-berlin.com
simple avec douche 79-115 €
double avec douche 99-210 €
petit-déjeuner 11 €
Ⓤ6 ou Ⓢ-Bahn Friedrichstrasse

Chaque chambre a été conçue par un artiste ! Toutes sont donc uniques. Cet "hôtel-galerie", doté de sa propre salle d'exposition, est bien situé, au cœur du Berlin politique et médiatique. Les transports en commun sont néanmoins à 10 minutes à pied. Si vous êtes sensible au bruit (le grand viaduc ferroviaire est juste à côté), prenez plutôt une chambre dans le nouveau bâtiment, mieux insonorisé, qui a été construit à côté de l'ancien (classé monument historique).

⋯⋙ *Prix avantageux dans la mansarde (simple 49-70 €, double 79-110 €).*

ARCOTEL VELVET **VERY CHIC**

Oranienburger Strasse 52, 10117
Mitte
+49 (30) 278 75 30
www.arcotelhotels.com/de/velvet_
hotel_berlin
chambre 78-265 €
Ⓤ6 Oranienburger Tor
Ⓢ-Bahn Oranienburger Strasse ou
Friedrichstrasse • Tram 12, M1, M2

Cet hôtel très chic est situé au cœur du quartier de Hackescher Markt, à côté de l'ancien squat Tacheles (voir p. 78). L'Arcotel propose des chambres très claires avec de grandes baies vitrées donnant sur la rue touristique Oranienburger Strasse. Pas de service de petit-déjeuner, mais un café ou un thé sont offerts au bar le matin. De toutes façons, il y a l'embarras du choix pour trouver un café dans le coin !

ZARENHOF

Eichendorffstrasse 4, 10115
Mitte
+49 (30) 97 00 52 33
www.hotel-zarenhof.de
simple 49-99 €
double 59-129 €
petit-déjeuner 11 €
Ⓤ6 Naturkundemuseum
Ⓢ-Bahn Nordbahnhof

Le patron a dédié son hôtel à Nicolas II, le dernier tsar de toutes les Russies. Le décor est donc très russe avec de grands tapis et de lourdes tentures dans les chambres. Le petit-déjeuner est également russe, avec caviar et blinis. L'hôtel est situé dans un quartier très tranquille et facilement accessible en transports en commun (tram, métro et S-Bahn). Les prix sont toujours négociables, assure la direction.

⋯⋯▷ *Le Zarenhof dispose de deux autres établissements dans les quartiers de Prenzlauer Berg (chambres et appartements) et de Friedrichshain.*

HONIGMOND

Tieckstrasse 11, 10115/**Mitte**
+49 (30) 28 44 55-0
www.honigmond.de
simple 95-165 € • double 145-215 €
petit-déjeuner compris
Ⓤ6 Naturkundemuseum
Ⓢ-Bahn Nordbahnhof
HONIGMOND GARDEN HOTEL
Invalidenstrasse 122, 10115/**Mitte**
+49 (30) 28 44 55-77
simple 105-175 € • double 125-230 €
petit-déjeuner compris
Ⓤ6 Naturkundemuseum
Ⓢ-Bahn Nordbahnhof

Dans cet hôtel, chaque chambre est aménagée différemment. Parquet, meubles en bois, stucs, tableaux, grands miroirs... Le Honigmond est charmant, élégant, et l'accueil très agréable. Le quartier est très tranquille et bien desservi par les transports en commun. En été, on profite d'un merveilleux jardin dans l'autre bâtiment, situé dans la rue Invalidenstrasse, à 200 mètres de l'hôtel principal (demandez une chambre dans ce dernier, c'est le meilleur).

⋯⋯▷ *Certaines chambres sont vraiment petites (demandez la surface lors de la réservation).*

HOTEL AM SCHNEUNEN-VIERTEL

VERY CHIC

Oranienburger Strasse 38, 10117/**Mitte**
+49 (30) 282 21 25 ou 282 11 15
www.hotelas.com
simple 70 € • double 80 € • triple 100 € • petit-déjeuner compris
Ⓤ6 ou Ⓢ-Bahn Oranienburger Tor

Pour ceux qui veulent être au cœur du Berlin qui bouge, c'est l'hôtel parfait. Élégant et chic, il donne sur la rue très fréquentée d'Oranienburger Strasse. Vous êtes donc tout de suite plongé dans le rythme du quartier de Mitte. Les accès aux transports en commun sont excellents. Prenez une chambre qui ne donne pas sur la rue (bruyante la nuit avec les fêtards et le tram).

HÔTELS I APPARTEMENTS I PENSIONS I AUBERGES

Vous pouvez aussi réserver votre hébergement sur www.cheapandchic-lesguides.fr

MITART

Linienstrasse 139-140, 10115
Mitte
+49 (30) 28 39 04 30
www.mitart.de
simple 88-140 €
double 110-180 €
petit-déjeuner bio compris
Ⓤ6 ou Ⓢ-Bahn Oranienburger Tor

Cet hôtel écologique utilise exclusivement des produits de nettoyage biologiques. Au petit-déjeuner, les produits sont également tous bio. Situé dans le quartier des galeries, le MitArt est un hôtel très calme. Beaucoup d'artistes viennent se ressourcer ici et certains ont laissé quelques œuvres aux murs. Les chambres, toutes aménagées différemment, avec des meubles en bois – et sans télévision ! –, donnent sur la cour d'une ancienne imprimerie. La salle du petit-déjeuner, qui sert aussi d'accueil, est très agréable avec son aquarium à l'entrée.

MÄRKISCHER HOF

Linienstrasse 133, 10115
Mitte
+49 (30) 2827155
www.maerkischer-hof-berlin.de
simple 45-55 €
double 60-75 €
triple 75-90 €
petit-déjeuner 7 €
Ⓤ6 ou Ⓢ-Bahn Oranienburger Tor

Cet hôtel familial (20 chambres) a l'avantage d'être très bien situé. Les prix sont raisonnables et deviennent même très intéressants pour trois personnes. La salle du petit-déjeuner au premier étage donne sur la rue animée d'Oranienburger Strasse. L'ambiance est plutôt "ostalgique", dans une atmosphère familiale rappelant l'Allemagne de l'Est (donc pas tendance !). L'hôtel propose un service de réservations de billets de concert, de théâtre et de location de vélos.

MOTEL ONE

VERY CHEAP

MOTEL ONE-BERLIN-KU'DAMM
Kantstrasse 10, 10623
Charlottenburg
+49 (30) 31 51 73 60
www.motel-one.com
chambre à partir de 69 €
petit-déjeuner buffet 7,50 €
Ⓤ2, Ⓤ9 ou Ⓢ-Bahn Zoologischer Garten

Cette chaîne d'hôtels, reconnaissable à ses tons brun et turquoise, remporte un grand succès en Allemagne avec son concept tendance à petits prix. Les 8 hôtels de Berlin sont très bien placés et offrent des prix très intéressants. De plus, chaque adresse a son propre style. Celui de Charlottenburg se trouve à côté du Quasimodo (p. 134) et à deux pas de Savigny Platz (p. 131).

BLEIBTREU

Bleibtreustrasse 31, 10707
Charlottenburg
+49 (30) 88 47 40
www.bleibtreu.com
simple 65-118 €
double 75-128 €
petit-déjeuner 19 €
Ⓤ1 Uhlandstrasse
Ⓢ-Bahn Savignyplatz

Le premier hôtel design de Berlin n'a pas perdu de sa fraîcheur. Les chambres sont lumineuses, confortables et chics, avec des sdb égayées de carrelage coloré. L'hôtel est très bien situé, dans le quartier nocturne de Savigny Platz (10 minutes à pied) et près de nombreux sites à visiter. Proche du métro et du S-Bahn. Idéal si l'on préfère un hôtel dans l'ouest de la ville.

HOTEL BOGOTA

Schlüsterstrasse 45, 10707
Charlottenburg
+49 (30) 881 50 01
www.bogota.de
simple avec lavabo/WC et douche
40/66-98 € • double 64/89-150 €
petit-déjeuner compris
Ⓤ1 Uhlandstrasse
Ⓢ-Bahn Savignyplatz

Un merveilleux hôtel chargé d'histoire. La célèbre photographe Yva (Else Neuländer-Simon), dont Helmut Newton fut l'élève, y avait son atelier. Transformé en pension en 1964 par des émigrés juifs allemands réfugiés en Colombie avant la guerre (ce qui explique son nom), il a été ensuite agrandi en hôtel. Les 130 chambres sont toutes différentes (taille, mobilier, etc.). Certaines partagent encore un sdb commune. Très bien situé.

Q

VERY CHIC

Knesebeckstrasse 67,
10623/**Charlottenburg**
+49 (30) 81 00 660
www.loock-hotels.com
double 95-200 €
petit-déjeuner 20 €
Ⓤ1 Uhlandstrasse

Le chic absolu ! On ne fait pas plus tendance dans le quartier. Ambiance sonore électro, mobilier futuriste, spa, pilates, dock iPod pour cet hôtel ultradesign. Angelina Jolie et Brad Pitt y ont séjourné. Ils ont adoré ! Le luxe reste abordable si l'on ne prend pas de suite : les prix débutent à 95 € pour une chambre double.

HOTEL RESIDENZ

Meinekestrasse 9, 10719
Charlottenburg
+49 (30) 88 44 3-0
www.hotel-residenz-berlin.de
simple 65-200 € • double 85-220 €
suite junior 105-265 €
petit-déjeuner 7-16 €
Ⓤ1 Uhlandstrasse ou Kurfürstendamm

Construit en 1900, cet hôtel de 77 chambres a conservé les traces d'un Berlin disparu. On voit encore des stucs et des éléments de l'époque Jugendstil (Art nouveau) sur le bâtiment. Rares sont les hôtels avec autant de charme dans la capitale. Le Residenz est très bien situé, juste à côté du Ku'damm avec ses cafés et ses restaurants.

Vous pouvez aussi réserver votre hébergement sur www.cheapandchic-lesguides.fr

HOTEL ASTRID

Bleibtreu Strasse 20, 10623
Charlottenburg
+ 49 (30) 881 59 59
www.hotel-astrid.de
simple 59-69 € • double 69-99 €
triple 99-109 € • quadruple 109-119 €
petit-déjeuner compris
Ⓤ1 Uhlandstrasse

Ouvert en 1951, cet hôtel est aujourd'hui classé monument historique. Très bien situé, à seulement 20 mètres du Ku'damm, il a l'avantage de pouvoir accueillir jusqu'à 5 personnes pour un prix très intéressant. Les chambres sont typiquement berlinoises, avec parquet au sol et stucs au plafond. Celles à l'arrière donnent sur une cour avec un jardin. Certaines ont même un balcon.

PENSION SAVOY

Meinekestrasse 4, 10719
Charlottenburg
+49 (30) 88 47 16 10
www.hotel-pension-savoy.de
simple à partir de 49 €
double à partir de 69 €
triple à partir de 89 €
quadruple à partir de 99 €
petit-déjeuner compris
Ⓤ1 Uhlandstrasse ou Kurfürstendamm

L'entrée Jugendstil est superbe ! Dans cet "hôtel-pension" très bien tenu, installé dans un immeuble épargné par les bombardements, l'ambiance du Berlin d'avant guerre est assurée. Le magnifique ascenseur d'origine mène à la réception. Toutes les chambres, à la déco soignée, quoique d'un autre temps, sont équipées de téléphone, TV, Wi-Fi, etc. Très bien situé, à côté du Ku'damm, et à deux pas du Zoologischer Garten.

HOTEL ZOO

Kurfürstendamm 25, 10719
Charlottenburg
+49 (30) 884 37 0
www.hotelzoo.de
simple 89-255 € • double 99-280 €
petit-déjeuner compris
Ⓤ1 Uhlandstrasse ou Kurfürstendamm

Situé sur le Ku'damm, le grand boulevard de l'ouest de la ville, cet hôtel se niche dans un bâtiment typique des années 1920, doté de plafonds pouvant aller jusqu'à 3,80 mètres de hauteur. Une rénovation de l'hôtel était en cours début 2011.

PROPELLER ISLAND CITY LODGE

Albrecht-Achilles Strasse 58, 10709
Charlottenburg
réservations +49 (30) 891 90 16 (8h-12h)
infos +49 (30) 163 256 59 09 (12h-20h)
www.propeller-island.mobi
chambre simple 79-115 € (15 € de
plus par personne supplémentaire)
petit-déjeuner 7 €
Ⓤ7 Adenauer Platz

Situé dans un immeuble d'habitation (la réception est au 1er étage), cet hôtel de 30 chambres est fait pour ceux qui recherchent un endroit non conventionnel. Chaque chambre a été conçue par un artiste : chambre du temple, aux miroirs, à l'envers, du château ou des nuages... Certaines sont carrément surréalistes ! De quoi passer une nuit hors du commun. Seul bémol : l'hôtel est un peu excentré – mais le métro est à 10 minutes à pied.

AXEL HOTEL

VERY CHIC

Lietzenburger Strasse 13/15, 10789
Schöneberg
+49 (30) 2100 28 93
www.axelhotels.com/berlin
simple et double à partir de 59 €
petit-déjeuner 13,50 €
Ⓤ1, Ⓤ2, Ⓤ3 Wittenbergplatz

L'Axel Hotel a ouvert son troisième établissement gay hétéro-friendly dans le quartier de Schönberg, après celui de Barcelone et de Buenos Aires. Très chic, l'Axel, installé dans un bâtiment neuf, comporte un restaurant, deux bars, dont un en plein air, et un centre de bien-être (massages, salle de fitness). Très bien situé et facilement accessible en transports en commun.

ARCO HOTEL

Geisbergstrasse 30, 10777
Schöneberg
+49 (30) 23 51 48 0
www.arco-hotel.de
simple 50-109 €
double 70-129 €
petit-déjeuner compris
Ⓤ4 Viktoria-Luise-Platz

Pour ceux qui préfèrent un accueil en français, vous serez comblé à l'Arco Hotel : la patronne vient du sud de la France. L'hôtel est situé dans un endroit très calme à deux pas de la place Viktoria-Luise et du métro. En 10 minutes, on rejoint la place Wittenberg et ses grands magasins. Au sud, le quartier gay de Motzstrasse et les cafés des environs de la place Nollendorf sont à 5 minutes. Les chambres sont très bien équipées. Possibilité de louer des vélos.

LINDEMANN'S

Potsdamer Strasse 171-173, 10783
Schöneberg
+49 (30) 526 85 40
www.lindemanns-hotel.de
simple à partir de 49 €
double à partir de 64 €
petit-déjeuner 12,50 €
Ⓤ7 Kleistpark ou Ⓤ2 Bülowstraße

Très bel hôtel et très bon rapport qualité/prix. L'ambiance est très design et les chambres spacieuses (20 à 25 m²) et lumineuses. Le Lindemann's n'est pas très central, mais un arrêt de bus se trouve devant l'hôtel et vous mène au centre en 10 minutes. La ligne de métro U2 est à 400 mètres. Prenez les chambres sur cour, plus calmes.

┈⇥ *Jusqu'à 15% de réduction pour les réservations par Internet.*

Vous pouvez aussi réserver votre hébergement sur www.cheapandchic-lesguides.fr

HOTEL SAROTTI-HÖFE

Mehringdamm 57, 10961
Kreuzberg
+49 (30) 60 03 16 80
www.hotel-sarottihoefe.de
simple 69-169 €
double 79-179 €
petit-déjeuner 10 €
Ⓤ6, Ⓤ7 Mehringdamm
ou Ⓤ7 Gneisenaustrasse

Vous dormirez dans une ancienne usine de chocolat entièrement rénovée. Les chambres ont su garder le charme de l'ancien (pierre apparente, fenêtres hautes), allié à des touches de modernité. Pour trouver l'accueil de la pension Sarotti, il faut entrer dans le café souvent bondé et demander les clés au petit comptoir sur la droite. Situé près du quartier animé de Bergmannstrasse, l'endroit n'en est pas moins calme et reposant.

HÔTEL JOHANN

Johanniterstrasse 8, 10961
Kreuzberg
+49 (30) 225 07 40
www.hotel-johann-berlin.de
simple 72-90 €
double 95-119 €
petit-déjeuner compris
Ⓤ1, Ⓤ6 Hallesches Tor

L'endroit est d'un calme ! Et pourtant vous êtes au centre de Berlin. Situé près du canal, l'hôtel Johann est fait pour ceux qui aiment la marche et les grands espaces verts. L'ambiance est presque provinciale avec un accueil très chaleureux. Les chambres sont modernes, dans un style épuré, quasi minimaliste. Il faut marcher un peu pour atteindre le métro (à 800 mètres) – l'hôtel loue des vélos.

⋯⋙ *Toutes les chambres sont non-fumeurs.*

DIE FABRIK

VERY CHEAP

Schlesische Strasse 18, 10997
Kreuzberg
+49 (30) 611 71 16 ou +49 (30) 617 51 04
www.diefabrik.com
dortoir (7-8 lits) 18 €/pers
simple 38 € • double sans/
avec lavabo à partir de 58/72 €
triple 78 €
petit-déjeuner (dans le café)
4-8,50 €
Ⓤ1 Schlesisches Tor

Un hôtel sur mesure pour les amoureux du quartier alternatif de Kreuzberg. Avec son café cosy à l'entrée et son grand hall d'accueil, la Fabrik résume à elle seule la philosophie anti-tendance de Kreuzberg : pas de TV, pas d'Internet, pas de minibar, et les douches et les WC à l'étage. On se sent pourtant très bien dans cet hôtel recommandé par tous les guides allemands. L'accueil est chaleureux et l'ambiance détendue et familiale. La Fabrik, installée dans d'anciens ateliers en brique rénovés en 1995, est située dans la rue qui "monte".

OSTEL

Wriezener Karree 5, 10243
Friedrichshain
+49 (30) 25 76 86 60
www.ostel.eu
simple/double à partir de 25/32 €
dortoir 15 € par personne
app à partir de 80 €
petit-déjeuner à partir de 7,50 €
Ⓢ-Bahn Ostbahnhof

VERY CHEAP

Cet hôtel, autoproclamé "DDR design hotel", a été conçu pour les nostalgiques de la RDA ! L'immeuble est de l'époque communiste, les meubles, les tapisseries et les téléphones aussi. Le portrait du dernier dictateur est-allemand Erich Honecker est accroché à l'accueil. On ne doit pas s'attendre au grand luxe. Les salles d'eau sont communes (certaines chambres ont néanmoins des salles de douche). Le quartier a conservé une atmosphère de l'ancien Berlin-Est.

EAST-SIDE-CITY

Mühlenstrasse 6, 10243
Friedrichshain
+49 (30) 29 38 33
www.eastsidehotel.de
simple à partir de 59 €
double à partir de 79 €
petit-déjeuner compris
Ⓤ1 ou Ⓢ-Bahn Warschauer Strasse
Tram M10

Les chambres de cet hôtel à l'ambiance familiale donnent sur un boulevard très passant, mais la vue sur la Spree et les restes du Mur (East Side Gallery ; voir p. 172) est imprenable. Seul rescapé des démolitions, l'immeuble semble isolé dans cet ancien quartier frontalier entre Kreuzberg et Friedrichshain. Il est l'un des seuls à avoir subsisté aux bombardements de la guerre. À l'intérieur, tout a été rénové. À deux pas du métro U1 et du S-Bahn, qui traversent l'ouest de la ville, et du tram M10, qui parcourt l'est.

⤳ *Les chambres à l'arrière donnent sur la cour des services de voirie (passages de camions).*

JUNCKER'S HOTEL

Grünberger Strasse 21, 10243
Friedrichshain
+49 (30) 293 35 50
www.junckers-hotel.de
simple 49-66 €
double 73-125 €
petit-déjeuner 8 €
Ⓤ5 Frankfurter Tor • Tram M10

Cet hôtel est fait pour ceux qui cherchent une ambiance familiale dans un quartier animé. On se sent tout de suite chez soi. Le Juncker's est très bien placé, à côté de la ligne de tram M10 et à deux pas du métro U5. Les chambres sont soignées et l'accueil très agréable.

Vous pouvez aussi réserver votre hébergement sur www.cheapandchic-lesguides.fr

• • • • APPARTEMENTS • • • •

GUEST ROOM BERLIN

Christburger Strasse 6, 10405
Prenzlauer Berg
+49 (30) 440 557 84
www.guest-room-berlin.de
**app et studios 1 pers 47 €,
2 pers 64 €, 3 pers 81 €,
pas de service de petit-déjeuner**
Tram M10, M2, M4

Situé dans le quartier tendance de Prenzlauer Berg, l'endroit n'en est pas moins très tranquille. Les studios modernes et tout équipés donnent sur la cour d'un immeuble habité par des Berlinois. L'ambiance est donc authentique. Un très bon bar à cocktails, le Fluido, se trouve juste à l'entrée (voir p. 59).

SCHOENHOUSE APARTMENTS

Schönhauser Allee 185, 10119
Prenzlauer Berg
+49 (30) 4737397-0
www.schoenhouse.de
**app 2 pers à partir de 75 €
app 4 pers à partir de 110 €
petit-déjeuner 4-7,50 €**
Ⓤ2 Senefelderplatz

VERY CHEAP

Les appartements du Schoenhouse sont une excellente alternative dans ce quartier de sorties. D'une capacité de 2 à 6 personnes, ils sont aménagés dans un style moderne et épuré. Le Schoenhouse est situé à quelques minutes des Hackesche Höfe, de Kollwitzplatz et d'Alexanderplatz. Des dizaines de cafés et de restaurants sont à votre disposition, ainsi qu'un supermarché, pratiquement en face. Réservation facile par Internet (site en français).

HÜTTENPALAST

Hobrechtstrasse 66, 12047
Kreuzberg
+49 (30) 37 30 58 06
www.huettenpalast.de
**caravane *indoor* : 65 €
simple 65 €
double 85 €**
petit déjeuner compris (café + croissants)
Ⓤ8 et Ⓤ7 Hermannplatz

Faire du camping sans contraintes ! Deux Berlinoises ont réalisé ce rêve très fou en ouvrant un camping à l'intérieur d'un bâtiment. Elles ont nommé leur rêve le "palais des cabanons" (Hüttenpalast), un vrai camping *indoor* de 200 mètres carrés avec des caravanes des années 1960 et 1970 aux formes encore toutes rondes. On peut prendre son petit-déjeuner ou lire un magazine sur des chaises pliantes en faisant connaissance avec ses voisins. Comme au camping... Mais ils y a aussi de vrais chambres d'hôtel.

• • • • • • • • PENSIONS • • • • • • • •

CITY GUESTHOUSE

Gleimstrasse 24, 10437
Prenzlauer Berg
+49 (30) 448 07 92 (8h-18h)
www.pension-guesthouse-berlin.de
simple 42-49 € • double 72-78 €
app 2 pièces 28-56 €/pers
app 3 pièces 22-33 €/pers
petit-déjeuner 5 €
Ⓤ2 Schönhauser Allee

Très bien placée dans Prenzlauer Berg, cette petite pension est aussi bien desservie, avec la ligne U2, qui traverse Berlin d'est en ouest à seulement 200 mètres. Le quartier est vivant et authentique (pas touristique) et plein de boutiques. Toutes les chambres sont équipées d'une sdb, d'une TV, d'un frigo et même d'une cafetière. La pension propose aussi des appartements avec cuisine.

KASTANIENHOF

Kastanienallee 65, 10119
Prenzlauer Berg
+49 (30) 44 30 50
www.kastanienhof.biz
simple 75-94 €
double 87-124 €
petit-déjeuner 9 €
Ⓤ8 Rosenthaler Platz • Tram M1

VERY CHEAP

Situé au début de l'"allée du Casting" (voir p. 46), le Kastanienhof bénéficie avant tout d'un bon emplacement. On ne peut pas être mieux situé dans le quartier. Les chambres sont bien aménagées et adaptées aux familles. Pensez au tram si vous êtes sensible au bruit et prenez une chambre sur cour.

⇢ *Pas de réception la nuit (jusqu'à 22 heures).*

PENSION KREUZBERG

Grossbeerenstrasse 64, 10963/**Kreuzberg**
+49 (30) 251 13 62
www.pension-kreuzberg.de
simple 60 € • double 72 € • ch 3-4 pers 28 €/pers • petit-déjeuner compris
Ⓤ6, Ⓤ7 Mehringdamm
ou Ⓤ7 Gneisenaustrasse

Une ambiance familiale règne dans cette pension, installée dans un ancien immeuble d'époque Gründerzeit. Les volumes des chambres, avec leurs hauts plafonds, rappellent le Berlin d'avant guerre. L'accueil est agréable. Toutes possèdent une sdb, mais pas de télévision ! En revanche, la pension dispose du Wi-Fi.

PENSION PETERS

Kantstrasse 146, 10623
Charlottenburg
+49 (30) 31 22 278
www.pension-peters-berlin.de
simple 57 € • double 73 €
petit-déjeuner 4 €
Ⓢ-Bahn Savignyplatz

Cette pension de famille compte 34 chambres décorées avec soin dans un immeuble ancien. Service et accueil sont chaleureux. Vous pouvez poser des questions sur la ville et demander des conseils sur vos déplacements, on vous répondra volontiers. On ne peut pas trouver meilleur emplacement, juste à côté de Savigny Platz.

Vous pouvez aussi réserver votre hébergement sur www.cheapandchic-lesguides.fr

PENSION FUNK

Fasanenstrasse 69, 10719
Charlottenburg
+49 (30) 8827193
www.hotel-pensionfunk.de
simple avec sdb 52-95 €
double avec sdb 82-129 €
petit-déjeuner compris
🚇1 Uhlandstrasse

Ne vous méprenez pas sur son nom... ! On retrouve dans cette pension l'ambiance du Berlin des années 1920 avec ses fenêtres Jugenstil (Art nouveau) et ses meubles anciens. Déco soignée, très classique (napperons brodés, tapis, fauteuils tapissés à fleurs...). Très bien située, à deux pas du Ku'damm, cette pension est une bonne alternative aux hôtels du quartier, souvent très chers.

Prix plus intéressant pour les chambres avec sdb commune à l'étage.

•• AUBERGES DE JEUNESSE ••

PFEFFERBETT

Christinenstrasse 18-19, 10119
Prenzlauer Berg
+49 (30) 939 35 85-18
www.pfefferbett.de
dortoir 6 à 8 personnes à partir de 9 €
chambre simple ou double à partir de 32 € par personne
chambre 4-6 personnes à partir de 20 € par personne
petit-déjeuner 5,50 € (buffet à volonté)
🚇2 Senefelderplatz

VERY CHEAP

Voilà un nouvel établissement hybride tout à fait dans l'air du temps. Situé dans l'ancienne brasserie Pfefferberg (superbe !), au cœur du Berlin tendance de Prenzlauer Berg, le Pfefferbett est à la fois une auberge de jeunesse et un hôtel. Les chambres, très bien rénovées, sont modernes et très bien équipées. Il propose par ailleurs des appartements modernes et fonctionnels (certains avec balcon) pour 2 à 6 personnes, à 5 minutes à pied de l'hôtel (Choriner Strasse 37).

Réductions intéressantes en "last-minute".

HOTEL TRANSIT

Hagelberger Strasse 53-54, 10965
Kreuzberg
+49 (0)30 789 04 70
www.hotel-transit.de
dortoir 21 €
simple 49 €
double 59 €
petit-déjeuner compris
🚇6, 🚇7 Mehringdamm
ou 🚇7 Gneisenaustrasse

Ambiance détendue, salle de TV commune, laverie... un établissement typique d'une arrière-cour de Kreuzberg – il faut prendre un ascenseur pour trouver l'accueil ! Les chambres et les dortoirs (pas de lits superposés !) sont modernes et fonctionnels, tous équipés de sdb. Depuis que l'auberge a été rénovée et que les prix ont augmenté, les routards sont moins nombreux. Le Transit est situé tout près du quartier bobo de Bergmannstrasse. Très sympa !